JN068935

國憂ヘテ已マズ

小川榮太郎
OGAWA EITARO

青林堂

天照す神の守らせる中つ國(くに)に人の應(こた)へむいかがあるべき

序に代えて

吉田松陰の「リアリズム」

　松陰を慕い、松下村塾に言及する人は、今なお多い。しかし、松陰の何に人は惹かれているのか。下田に停泊中の黒船に乗り込む勇気、罪せられても恐れず直言し、行動する果敢、安政の大獄に斃がれた純情苛烈に対してであろうか。

　確かに松陰の純粋さは際立っている。

だが、ここでは、それが青年の純情一般とは寧ろ対極的なものであった事に注意を促したい。無数に残された著述と書簡は、生涯の猛烈な学問と綿密極まる政策・工作上の検討、多くの人との対話を通じた自己修正の稀有な記録である。この人ほど、己の存在を活かすために、日々限界まで精励し、精進の中で絶えず死を直視し続けた人はいない。松陰の生も死も、極度に練りぬかれた思想表現の苛烈さと冷徹さを併せ持つ。その意味で、松陰の純情ほど、青年客気の不用意さ、若気の至りと程遠いものはない。それは、学問によって練り続けられた純情であり、その死もまた、思想によって練り込まれた死であった。

『吉田松陰日録』（松風会編）という三百四十頁に及ぶ冊子がある。文字通り詳細な日録だが、その圧倒的な行動・読書・執筆の分量に目を疑わぬ読者はいないだろう。二十代の松陰は東北、江戸、九州に遊学するが、遊学先で百人内外の知識人と会い、書籍を借り、摘録を重ねている。とりわけ、水戸学の大家、会沢正志斎らとの邂逅は転機となった。帰国後、『日本書紀』『続日本紀』を直ちに読み始め、「身皇国に生まれて、皇国の皇国たるを知らずんば、何を以て天地に立たん」と嘆声を挙げている。

松陰の「日本」発見である。だがそれは、例えば本居宣長の発見した「日本」とは異なる。宣長は『古事記』に漢心以前の日本の心の質朴さを、『源氏物語』に「もののあはれ」を見いだしたが、松陰は『日本書紀』に、古代日本史における歴代天皇の雄大な国際経営を発見したのである。

日録によれば、帰国後半年の間、松陰の読書は『詩経』『名臣言行録』『孟子』と彼の本領である漢籍に戻り、再び『日本逸史』『続日本後紀』『三代実録』『職官志』『令義解』『日本外史』、そして再度翻って『史記』『漢書』を繙き、日支の歴史・精神の比較研究の様相を呈している。しかし、再び読者の注意を促しておきたい、こうした日本国というネーションの自覚の過程は、松陰にあっては単純な排外主義には繋がらないのである。寧ろ、九州遊学、佐久間象山らとの交際による、正確な国際情勢認識と共振してゆく。

水戸学も開国論も、松陰は鵜呑みにしていないから、正志斎と会った後、自ら国史の猛勉強を始めるのである。

開国論にしてもそうである。同時代の知識人らと同様、彼もまたアヘン戦争に強い危機を覚える。ではどうすべきか。松陰の場合、尊皇はそのまま能動的開国論に展開する。外国語や先端技術の積極的な選択の主張となる。『日本書紀』の記す半島・大陸進出が航海通商政策のヒントとなる。こうして尊皇と近代ナショナリズムとが、松陰の中で一つの思想へと育ってゆくのである。

これは、幕末思想の中でも際立って統合的な性格の思想形成の過程であった。実際、明治政府を作り出した弟子達が、こうした松陰の思想的統合を何らかの意味で継承していなかったなら、明治国家という脆弱な仮普請が、短時日の内に列強に伍してゆくのは到底不可能だったろうと、私は思う。

それにしても、なぜ松陰にこの独創が可能だったのだろう。恐らくそれは、松陰の学問が単なる知的構想ではなく、彼自身がどう建国事業に参与するかという、己の生の意味そのものを国に重ねる営みだったからではなかったか。

彼は一藩の微臣である上、罪を得て獄中生活を繰り返していた。生きて、政治的な結果を作り出すことが不可能な立場にいた。

ならばどうすべきか――。このジレンマは松陰に、無力な自分を最大限活かすには何をなすべきなのかを厳しく省察することを要求し、自己省察が苛烈になるにつれ、松陰の世界観や時局観もまた正確になってゆく。

松陰が最後、老中・間部詮勝の暗殺を企てたとき、高杉晋作、久坂玄瑞ら直弟子は、時機ではないとして反対する手紙を出す。それを読んだ松陰が「僕は忠義をする積り、諸友は功業をなす積り」と慨嘆したのはよく知られている。

功業は結果だが、松陰はその結果を作れない立場にある。しかし一人の人間に、匹夫だろうが、獄に繋がれていようが、国の為にできることがあるとすれば、それは何か。諸友に先駆けて死ぬことによる覚醒の促しではないか。これが松陰が錬磨と迷悟とを重ねた挙句、辿り着いた「思想」であり、結果を見れば、悲しい程時宜を得た「リアリズム」だったのである。

今、学問と自己錬磨への熾烈な欲望なき民族に堕した日本には、果敢なリアリスト松陰もまた出現しようがない。今の日本に歴史のダイナミズムを体で生き抜くような真のリアリストが出現すれば、逆にアナクロニストとして失笑されるだけであろう。

中国の台頭を支える若手エリート達と交際するにつけ、既に初老にして浅学・菲才の私の焦慮は、只ならない。

目次

I

国の憂い、国の祈り――辛うじて守られてきた天皇伝統

私達は今、国史上、天皇と国民の距離の最も近い時代、心情的にも最も自然な一体感を味わえる幸福な時にいる。

確かに、皇統の先細り、GHQによる皇室弱体化政策の深刻な影響など、憂慮すべき多くの課題はあるが、その一方で、国民と天皇の深く温かい共感関係=国家意識を、私達の時代こそが、歴史上最も豊かで自然な形で持っているという事実は、忘れてはならないだろう。

皇統が、二千有余年、連綿と我が国史の中核に存したのは厳然たる史実である。

だが、天皇と国民との紐帯が終始一貫していたという訳ではなかった。

寧ろ、現在我々が一般にイメージする天皇像、天皇と国民との絆は、江戸後期の光格天皇（こうかくてんのう）による復古的な御自覚、それを用意した水戸学や国学などの江戸思想が生み出した、「新しい天皇像」であった。

これから、略述するように、万世一系の皇統は実在し、歴代天皇は、天皇位にある事の自覚と祈りを深め続けてこられたが、だからといって、一貫した国民的天皇像が長期にわたり定着し

ていたわけではない。私達が、今共有している天皇像は、御歴代が、時代時代にconstitution（国柄、憲法）として機能し続けた挙句、最終的には江戸後期の「尊皇思想」により、古代から掘り出され、伝統として自覚され、更に明治以後に国制とされた事で、実際に国の中核価値として取り戻されたものなのである。

宮崎正弘氏は、近著『神武天皇「以前」 縄文中期に天皇制の原型が誕生した』（育鵬社）で、縄文時代の中頃には、天皇原理の原型が発生していたのではないかとして、最新の縄文研究と林房雄の『神武天皇実在論』（夏目書房）などに依拠しながら、民族の最も古い原理や心情を天皇制度が継承したとの見方を示している。

奇説とは言えまい。

縄文時代の研究は日進月歩である。その頃の日本列島では狩猟、採集により豊かな暮らしが営まれていた。驚くべきことに戦跡が全くない。戦争のないまま集落や交易が発達した、一万年以上にわたる世界史に例のない平和な文明が縄文時代だった。縄文土器、土偶に代表されるウルトラモダンな藝術的センスを見れば、その高い精神性は疑えない。

弥生時代を経ても、日本列島に遺伝子的な激変はなく、中国、朝鮮半島とは全く別のＤＮＡパターンを示している。そして、そのまま、紀元二百年から五百年にかけての前方後円墳時代に入る。
最古の巨大古墳である箸墓古墳は第七代孝霊天皇皇女の倭迹迹日百襲姫命の墳墓と治定され、歴代天皇の巨大古墳は、第十代崇神天皇陵に始まるとされている。記紀によれば、崇神天皇はその諡号が示す通り、疫病や飢饉を自らの不徳の為とされて天照大御神、大物主命に祈り、物部氏に神事を司らせ、八十万の群神を祀る、祭祀王としての天皇の始である。八百万の神は縄文の多様な信仰の伝えの謂であろう。崇神天皇の事績はあるいは古代天皇数代を一代に集積したものかもしれない。そうであればなお一層、古代天皇は縄文日本人の継承と集約の中から生まれた王だったとしてよい事になろう。

最盛期の前方後円墳は、世界最大の墳墓群であり、何らかの宗教性と公共性とが込められた、高度な動員力と技術、精神性の産物である。応神天皇時代には漢字が伝来したと考えられる。巨大古墳の造営を可能とする統治と技術が、文字なしでできたとは考えられない。また、三九一年の広開土王碑と神功皇后時代の朝鮮征伐の記述は一致する。この頃の日本軍は北朝鮮で激戦を戦ってもいたのである。

その点では、当時の日本は、世界史に典型的な古代帝国である。

が、半島経営をも兼ねた古代天皇は、世界の古代史に共通する苛酷な侵略と略奪の王ではなかったようである。『日本書紀』によれば、崇神、垂仁、仁徳天皇らの逸話に示されるように、歴代天皇の多くは謙虚な敬神、殉死（じゅんし）の撤廃、王位の譲り合い、免税による仁政（じんせい）などの伝統を、ごく初期から形成していた。『日本書紀』のこうした記述を後世の偽装だとする説に意味はない。これらは別段、編纂期の価値観だったとは言えないし、雄略天皇（ゆうりゃくてんのう）の暴虐も陰されていないからである。

「縄文の平和」は、古代帝国日本をも通底していたのだ。縄文研究が進んだ今日、史家らはいつまでも『魏志倭人伝』にかまけていずに、縄文文明と記紀に見られる民族的気質との連続性を、真面目に検討すべき時に至っているのではあるまいか。平和、文化、勤勉、調和、祈り——そして、圧制・独裁ではなく、天皇という頂点こそが下座に付く精神・国家構造が、縄文から一貫する民族的な合意——constitution——として形成され、しかも独立国として強固な外敵排除の国力が存していなかったならば、大陸や半島同様、絶えざる闘争と略奪、権謀術数は間違いなく日本列島を侵したであろう。

こうした天皇を中心とした古代帝国が、急速に、文字文明、モダンな国家として結実するのは蘇我=聖徳太子時代である。

聖徳太子による隋の煬帝への親書の実在が疑えない以上、『天皇記』『国記』の実在を疑う理由もまたあるまい。応神天皇以来の文字伝統が継続、成熟していなかったとは考え難いからである。また、『三教の義疏』が太子の実作かどうかは別にして、太子の法華経講義は史実と認められるし、これらの注釈書が早く日本に出現していた事も疑えない。太子の時代に飛鳥寺、法隆寺など巨大で美的な寺院と仏像が出現したことを見ても、日本の文明が、縄文から神武以来の皇統、古墳と半島経営の時代を経て、聖徳太子時代の急激な文明開化へと連続し、その中核に天皇家が存在していたのは概ねの史実であろう。

天皇家が国主としての明確な自己像を確立し、支配層がそれを受容するのは、記紀・萬葉によってである。天照大御神の天孫瓊瓊杵尊が天皇家の祖先だとする万世一系の物語を、詳細な同時代史にまで紡ぎあげた『日本書紀』と、大伴家持を中心とした編纂者らによって七八三年から八〇六年頃に完成したとされる萬葉集が、日本の自覚の成立であった。

大化の改新により蘇我の影響を排除した天智天皇と、その息子である大友皇子を排除した弟宮天武天皇の争いは、シェイクスピア的な意味での凄惨な権力劇だった。ところが『日本書紀』の編纂を命じた天武天皇は、兄宮の国家の大業も、自身の皇位簒奪も、隠さず描かせ、万世一系の伝統の中に位置づけた。王朝簒奪者による権力確立劇として描かなかった。

これは重大な事である。

事実、この後、両統による血みどろの権力闘争が続く事はなく、天武系の途絶した後には天智系が復活、寧ろ万世一系が明確な伝統と意識される事となったからである。

また、『日本書紀』には、天皇家の神格化を企図したとは到底思えない滑稽な逸話、恥ずべき事例も描かれている。伝説も史実も広く豪族間にテクストや口承として流布しており、新たに虚偽の創作を加える余地は乏しかったと考えるのが自然ではなかろうか。概して公正な歴史記述が目指されており、権力の独占、神格化の傾向に乏しい。「縄文の平和」はここでも概ね保たれている。

一方萬葉集は、古代帝王の象徴と言える雄略天皇、天智と天武の父帝である舒明天皇(じょめいてんのう)の御製(ぎょせい)に始まる。皇統の核心がどこにあるかについての、明確な歴史意識と呼ぶべきだろう。

萬葉集における最大の歌人柿本人麻呂(かきのもとのひとまろ)は、皇族の死を悼(いた)む雄渾(ゆうこん)な長歌において集の頂点をなしている。

短歌にも天皇を詠って壮大なものが多い。

大君は神にしませば天雲のいかづちのうへにいほりなすかも

一方、編纂者とされる大伴家持は、古代より軍事を司って皇家を支えてきた血統意識が、強烈であった。新興勢力だった藤原氏と古代以来の大伴氏、橘氏、紀氏らの権力闘争に、家持自身も巻き込まれ、その死は憤死(ふんし)に近かったのである。軍歌『海征かば』は、家持が皇室の藩屏(はんぺい)としての大伴氏の悲願を絶唱した長歌の一節である。

興味深い事がある。

当時の表向きの国家システムが、こうした記紀・萬葉と程遠い地点にあった事である。

この頃、中国を模した『大宝律令』と平城京の成立、絢爛たる仏教寺院と仏教教学の全面的な輸入によって、突如ウルトラモダン国家＝奈良朝が成立していたからである。表向きの顔はあくまでこちらであり、正史である『日本書紀』の国体意識も、伝統的詩歌の集大成である萬葉集も、あくまで樹立された帝国の裏の聲であった。

これは、明治維新において、風俗、学問、技術から国家制度までを、二十年間に完全に洋化して、ウルトラモダン国家を成立させた近代日本の経験を彷彿させる。

明治では、「王政復古の大号令」と共に、極端な洋化＝近代化が推進されたが、実は奈良朝もまた、唐型国家に瞬時に模様替えした日本を、『日本書紀』による万世一系のconstitutionと、萬葉集の尊王と君民一体の詩学が下支えしたのであった。

しかしこの古代天皇の時代は、長くは続かない。

桓武帝による平安遷都の後、数代の内に、外戚として皇室の周囲を取り巻き始めた藤原氏の台頭と共に、天皇は政治的に無力化し、朝廷の一機関に埋没する。いわば象徴天皇の登場である。

それは藤原氏が衰えた後の院政期にあっても変らない。

更に、鎌倉幕府が成立した後は、政治の実権は歴代武家政権が握り、天皇のみならず、朝廷全体が、政治的に無力化するに至った。

この過程は今振り返ればとりわけ興味深い。源氏と平家の熾烈な権力争奪戦の中で、天皇家は消え去らなかった。寧ろ、源平が、共に拮抗する新興勢力だったが故に、両者共に権力の独占を狙う事ができず、天皇を奉じようとしたからである。以後、これが、武力を以って日本を制圧しようとする勢力が天皇を奉じる事で、天皇こそが国家の絶対的象徴となる先例となったのである。

『平家物語』は平家の没落を描くが、その終局となる壇ノ浦のクライマックスは平家が奉った幼帝安徳天皇(あんとくてんのう)の入水であって、平家の武将らの死では決してない。

が、それは、天皇にとっては、国主と仰がれながら抑圧される長い不遇の歴史の始まりでもあった。

では、その間、歴代天皇はどのような天皇像を確立されたのであろうか。

延喜天暦(えんぎてんりゃく)の宮廷文化における天皇親政を理想とされながらも、歴代天皇は、戦乱と不遇の中で、世の乱れの原因たる己の非力を天に詫び、ひたすら平和を祈る、祈りの伝統を形成してゆく事になるのである。疎外された非力の中で、自棄に陥られる事が全くなかった。寧ろ、天照大神以来の、真の国主だとの自覚を深め続けられた。それを示して余りあるのが、御歴代の御製であって、国の憂いを詠み、祈りを一心に捧げる天皇の姿は、承久(じょうきゅう)の変で失脚した後鳥羽院(ごとばいん)に始まり、その後、綿々と受け継がれてゆく事になる。

奥山のおどろが下も踏み分けて道ある世ぞと人に知らせむ

後鳥羽院は新古今サロンの主宰者で、大歌人であられたが、これはいうまでもなく歌道の歌ではない。おどろは草叢（そうそう）、藪だが、棘の字を当てる事もある。文字通り日本の国の道、尊皇の道が、棘だらけの雑草雑木に覆われ、歩を踏めば血だらけになるような中で、constitution を世に知らせようとの御製なのである。

一方、鎌倉幕府も天皇家の断絶、処刑に踏み込むつもりは毛頭なかった。政権をとったばかりの田舎武士集団にとって、天皇は、権威としても、超越的な宗教性の体現者としても、寧ろ、畏怖（いふ）の対象であった。皇位を修復し、安定させる事に懸命となった。むろん、天皇の遠島など、かつてない暴虐だが、観方を変えれば、そこまでしかしない、そこまでしかできない先例となったとも言えるのである。

こうして天皇が苦しい敗北を生きる「おどろが下の道」が、期せずして、君臣共同で生まれる事になった。

この先例は更に、後醍醐帝（ごだいごてい）による建武（けんむ）新政の失敗によって、改めて踏み固められる。

肝心なのは、天皇親政が失敗に終わった事ではない。天皇の無念が、『太平記』を通じて庶民達の間に流通した事の方である。江戸時代は『太平記』の普及した時代であった。後醍醐天皇の悲運とそれを支える楠木正成（くすのきまさしげ）の理想化が進んだ。『平家物語』による安徳（あんとく）幼帝の悲劇の次には、帝王後醍醐の悲劇が、日本人の共有する物語の経験となったのである。

権威としての天皇と、権力機構としての武家政権の二重性という原理は、こうして天皇の敗北の都度、先例として強化されつつ、庶民の間に物語を通じて浸透した。

歴史上の経験を通じて、敗者を最高権威として押し頂き続ける伝統が形成された事、他方歴代天皇が、敗北と不遇の中で、決して心折れず、国父としての祈りと自覚を深め続けられた事を通じ、日本の皇室伝統の類のない性格は、強固になってゆくのである。

これ以後、御歴代の御製は、権力から疎外されて、持明院統（じみょういんとう）、大覚寺統（だいかくじとう）の確執と難事の渦中にありながら、それぞれに、何と国の祈りに満ち満ちている事だろう。

河べなる荒ぶる神にみそぎして民しづかにといのる今日かな　　後嵯峨院

世のために身をば惜しまぬ心とも荒ぶる神は照らし覧るらむ　　亀山院

いたづらに安きわが身ぞはづかしき苦しむ民の心おもへば
伏見院

日の本の國のひかりをあふぐらし数もかぎらぬ四方の島々
長慶天皇

他方、応仁の乱以後、天下統一に志を持つ戦国大名らは、京を目指し、足利将軍家の輔弼（ほひつ）を務めようとした。が、実際に王手を掛けた織田信長は足利家を排し、天皇に直接参ずる事になる。将軍家は排する事ができる。が、天皇家に対し奉ってはそれはできない。

織田も後継の豊臣秀吉も、衰微しきっていた皇室の建て直しに寄与し、とりわけ秀吉が尊皇恭順を示したことは良く知られているだろう。秀吉は卑賤（ひせん）の出だが、この時までに日本に出た最も巨大な権力者でもあった。その彼をして臣と名乗り、天皇への恭順を示し続けた。こうして尊皇の伝統は更に強化されるのである。

次に長期政権を築く事になる徳川家康も、平家を名乗った信長に対して源氏を称し、源氏と平家が交代で天皇から将軍職を預かる武臣交代イデオロギーの踏襲を示した。だが、同時に家康は禁中並公家諸法度を制定し、天皇家を箱庭に閉じ込めようともした。

ところが、これがまた興味深い逆転を生む遠因となる。法度の第一条には「天子諸芸能之事、第一御学問也」とあり、天皇の学問専一の原則を冒頭に掲げている。この「学問」は、端的に歌学の事であって、歴史や漢学ではない。それらは天皇を政治的に目覚めさせてしまうと考えられたからである。歌学という最も狭い叙情の箱庭に天皇を閉じ込めようとした事こそが、天皇という日本の起爆力の根源への、徳川家の恐怖を示しているのだし、逆に、この法度に代表される徳川幕府の強圧的な皇室政策は、寧ろ水戸学や国学の発生により、尊皇家達の悲憤慷慨を根深く培養する結果となった。

とりわけ、水戸学が朱子の説く名分を天皇家に帰したのは驚くべき事であったろう。通常、新政権が歴史を編む動機は自身の正統性の証明である。ところが、創業者家康の孫である光圀が編み、江戸時代の歴史意識の基盤となった『大日本史』は、天皇家が日本の国主だという歴史観に立ち、幕府はそれを禁じなかったのである。

こうして天皇は、江戸期を通じ、幕府による抑圧と尊皇思想との激烈な化学反応の中核となりゆく事となる。

このエネルギーが実際に噴火するのは、江戸末期、光格天皇による、明確な皇統意識、復古意識においてである。光格天皇は、皇位継承順位は下位であったが、継承優位者の薨去が続き、皇位に立つ事となった方である。恐らくそのせいであろう、極めて皇統意識の強い天皇であられた。

天皇は、永年の中絶と簡略化の中にあった大嘗祭を、平安時代の古式で執り行った。また、御所が火事で焼失した際も、幕府に対し、強硬に復古的な復元を要求されている。光格を継いだ仁孝天皇(にんこうてんのう)は、御所内に学問所を置き、これが学習院の前身となったが、御前での勉強会では『日本書紀』が取り上げられている。こうした光格、仁孝二代にわたる復古尊皇の姿勢は、水戸学、国学の隆盛と相まって、「大政委任論」を生み出すことになった。

「大政委任論」とは何か。

大政、すなわち日本を統治する主権を有するのは天皇であり、天皇が、将軍に対して天下の政治を行う権限を委任しているとする、国体の枠組論である。「禁中並公家諸法度」が、幕府による天皇家への一方的な命令文書であり、光格までは、将軍に遣わされる天皇即位の勅使が、将軍の下座だった事を思えば、大政委任論の出現は、天皇と将軍の地位の完全な逆転を意味したと言ってよい。

この後外圧が高まり、幕府への信頼が低下する中で、幕府は、こうした大政委任論に押し切られ、公武合体派であれ、倒幕派であれ、国家の主権が天皇にある事を疑う者は、急激になくなってゆくのである。

この後、明治国家は「王政復古の大号令」と共に始まったが、そんな事があり得たのは、こうした諸々の、各段階における歴史的集積あっての事に他ならない。

だが、ここまで振り返って見てきた通り、「王政」の伝統そのものは、古代以後、実在しない。

長年実在しなかったものを、どう復古するか――明治新政府が「復古」をどの時点にするかにつき、まず、苦慮せねばならなかったのも当然であろう。

当初は建武新政を考えたようである。しかし、これは失敗に終わった事績でもあり、その案は潰え、最終的に「復古」は、一挙に、神武創業にまで遡る事になった。

思えば、この大胆な決断は、慧眼であったという他はない。

歴史の中途に規範を求めれば、それをどんな理想の御代だと理論づけても、相対的な判断たるを免れない。政治的変動が来る度に、他の規範との間で混乱と揺らぎと闘争が生じ得たであろう。明治政府が、神武創業の復古として自己を規定した事は、明治以後の日本がそうした揺らぎを生じずに済んだ、大きな要因となった。我が国が、百五十年に渡って、安定した立憲政治と高い民度を維持し得てきた中核に、この、天皇伝統の近代的な活かし直しがある事を否定するのは難しいだろう。

王政復古と共に公布された五箇条の御誓文は以下のものだった。

一　廣ク會議ヲ興シ萬機公論ニ決スベシ

一　上下心ヲ一ニシテ盛ニ經綸ヲ行フベシ

一　官武一途庶民ニ至ル迄各其志ヲ遂ケ人心ヲシテ倦マサラシメン事ヲ要ス

一　舊來ノ陋習ヲ破リ天地ノ公道ニ基クベシ
一　智識ヲ世界ニ求メ大ニ皇基ヲ振起スベシ

この誓文の来歴に関する詮索は今は措く。

はっきりしている事は、これが近代ヨーロッパ思想の日本版では全くない事だ。

ここで提示された思想は、現代風に言い換えれば、闊達（かったつ）な議会政治と、国民各層の心の一体化、開明な進歩主義、国際協調主義となるであろうが、これらはこの頃のヨーロッパ列強のイデオロギーではないからである。

この時期のヨーロッパ列強は、国内においては革命と王制の間を激しく揺れ動く上下対立と抵抗権の最盛期、国際社会にあっては弱肉強食と権謀術数――いずれの面から見ても暴力と激情の只中にあった。

「五箇条の御誓文」は、そうした十九世紀西欧の、対立と征服のイデオロギーとは程遠い。『日本書紀』と、その内に含まれる「縄文の平和」の遠い残響を確かに響かせながら、日本的な原理を近代国家のロジックに組み替えたものだったと要約して大過なかろう。

無論私は、日本の近代史が、御誓文をそのまま実現してきたなどと強弁をする気はない。が、国民国家の旗揚げをするに際し、明治政府が神武復古と共に示した原理が、近代西洋のイデオロギーとも、儒教や律令の思想とも違う、日本のconstitutionと呼べるものだった事には、やはり強い注意を促しておきたいと思う。

大東亜戦争敗戦後の昭和二十一（一九四六）年年頭、昭和天皇は、俗に「人間宣言」と呼称される「新日本建設に関する詔書」を、「五箇条の御誓文」の引用から始められている。

昭和五十二（一九七七）年、昭和天皇は記者会見でその点を次のように説明された。

それ（五箇条の御誓文を引用する事）が実は、あの詔書の一番の目的であって、神格とかそういうこと（＝いわゆる「人間宣言」）は二の問題でした。当時はアメリカその他諸外国の勢力が強く、日本が圧倒される心配があったので、民主主義を採用されたのは明治天皇であって、日本の民主主義は決して輸入のものではないということを示す必要があった。日本の国民が誇りを忘れては非常に具合が悪いと思って、誇りを忘れさせないためにあの宣言を考えたのです。

GHQが数日で英文草案を作成した「日本国憲法」は、国民主権という、日本のconstitutionにそぐわないイデオロギーを中核原理として宣揚しているが、昭和二十一（一九四六）年時点における主権者であった昭和天皇の言に従えば、寧ろ戦後のconstitutionは、「五箇条の御誓文」

の継続にこそあったのであり、「日本国憲法」は「御成敗式目」や「武家諸法度」「禁中並公家諸法度」同様、constitutionとは別個に存在する、統治上の便宜的なテクストに過ぎないという事になるだろう。

一方、平成の天皇は、即位後朝見の儀において「日本国憲法の遵守」を明言された。だが、その御製や皇后の御歌の数々を拝すれば、昭和天皇同様、深い意味におけるconstitutionの主宰者としての御自覚に毫も変化のなかった事は、推察に難くない。

父君のにひなめまつりしのびつつ我がおほにへのまつり行ふ　（御製　平成二年）

神まつる昔の手ぶり守らむと旬祭に発たす君をかしこむ　（御歌　平成二年）

平成の天皇の御譲位は、現行法規に一切規定がなく、光格天皇以来の事であった。そこにもまた、幕府法規の下風に置かれてきた江戸期天皇のありように根柢から疑義を投げかけ、尊皇の自覚を大きく取り戻された光格の道を敢えて今踏もうとされる、天皇の強い歴史的な意識があらわれていたように、私には思われる。

事実、譲位の報告にあたり、天皇は自ら神武天皇陵に出向かれて最初の報告を捧げ、令和改元後には、今上天皇もまた、伊勢神宮並びに神武天皇陵に、勅使による最初の即位報告を捧げておられるのである。

明治創業に当り、constitution の確認をされた「五箇条の御誓文」、敗戦直後、昭和天皇による「五箇条の御誓文」継承の詔、平成の天皇の譲位における光格天皇への先例回帰、令和改元における神武創業への復古の確認……。

天皇の伝統は決して予定調和的に、飴のように太い一本の筋が最初から定まっていたものではない。

冒頭書いたように、御歴代は万世一系を死守してこられたが、天皇伝統とは、その一歩一歩の危うい歩みの必死の務めの中から、苦心惨憺創造され続けてきたものなのである。

昭和、平成、今上と、日本国憲法下三代におかせられても、それは甚だ自覚的に、しかし密かに、堅持されている。

では最後に問おう、それ程の御努力は一体何の為なのか。

いうまでもなく天皇家ご自身の為であろう筈もない。

万世一系を継ぐ事、それも欧米の政治思想からの厳しい批判と冷遇を受け、様々な圧力や衆人環視の中で、天皇位を人生として選ぶ事の重圧は、計り知れない。日本国民に皆、自由な人生の選択権があるのに、皇位継承者にだけはそれがない。重圧だけがある。

それでもなお、なぜ、その役割を引き受け続けて下さるのか。

国史を繙(ひもと)けば、天皇が天皇の伝統を研究し、今に活かし続ける孤独な工夫を続ける事こそが、日本の存続の鍵だという事は疑えないからではないのか。

そうあればこそ、我々国民の側は、国の務めにおいてどうお応えすべきか——その問い抜きに、天皇を論ずる事は、少なくとも私にはできない。

拙稿が蛇行を重ねた所以である。

【参考文献】
飛鳥井雅道『明治大帝』講談社
河内祥輔、新田一郎『天皇と中世の武家』講談社
小堀桂一郎『和歌に見る日本の心』明成社
兵藤裕己『太平記「よみ」の可能性』講談社
藤田覚『幕末の天皇』講談社

江戸思想と明治国家

間遠いようだが、「歴史」について、少し考えたい。

過去を知る歴史という学問はなぜあるのか。

現代、実証的な歴史研究は隆盛を極め、微に入り細を穿つ有様であるのは言うを俟たない。史料批判の裾野は膨大になり続け、歴史学上の新説の登場も枚挙にいとまがない。聖徳太子非実在論、本能寺の変の真相、坂本龍馬の正体などというような話が絶えず出てくる。

学説の形をとったものから、素人史学のキワモノまでを含め、歴史の玩弄はよほど人の心をくすぐるところがあるらしい。

が、歴史の側では、驚き呆れているに違いない。

あったがままの事実は、無数に生起し、瞬時に終り、一切痕跡を残さない。

残されたものは、ごく限られた記録文書に過ぎない。

偶々残され、あるいは偶然発見された記録の外延が、充分にその事実の輪郭に応じたものであるとは限らない。

史料の示す事実とは、無限に広がる事柄の生起の、余りにも微小な部分に射した一筋の光に過ぎまい。

「事実」の脆さは、誰もが知っている事だろう。

私が昨日喰った晩飯も、もう私自身委細を記憶してはいない。一昨日の会話の内容も大半は既に記憶から消えている。しかしもしかしたらその会話が、私という一人の物書きの書く方向を変えるものだったかもしれない。しかし私自身、それを記憶してはいない。……そんな無数の事実の生起を夢中で生きて、死ぬ、それが各人の人生なら、その総体としての歴史もまた、酔生夢死の無限の海に浮かぶ、微細な記録から仄かに察する外のない、それ自体うたかたでなくて何であろう。

もし、本当に、より客観的な事実を追求する事が歴史の目的ならば、そこには絶望しかあるまい。記録に残っていない無数の要素を、今から実証する事は不可能だからである。

無論、記録が残っていても当てにはならない。

今に事柄を引き寄せて考えてみるがいい。安倍晋三政権のありよう一つとっても、産経新聞と朝日新聞では伝え方が全く違う。テレビや政局記事で伝えられる安倍氏の人間像と、私が直接知っている氏のありようは、別人格だと思うほどに相違する。まことしやかに書かれている政局記事は、私が直接知る事と多くの場合一致しない。今、目の前で展開されている政治記述を、私のごく細いパイプから覗いてみても、記録の嘘は既に、嘆息しようもない程、膨大なのである。

こうした「記録」の集積から現代政治史が書かれ、それらの中で、学術的に権威あるとされる出版社から刊行される、アカデミズム主流派政治学者の書いた著述が、「権威」ある基本テキストと見做(みな)され、後世の政治史記述は概ねその線に沿ってなされるのであろう。そして、時折史料批判と称して、別のコンテクストによって描かれる史書が登場する。

既に、世に出ている平成史に、その実例を見出せる。

多少なりとも、現在進行中の政治の実際と書かれた記述の極度の乖離をこの眼で目撃している私から見れば、こんな風に仕立て上げられた歴史記述など、学者の遊戯、出版人らの児戯にしか見えない。

私は思う、人間の、事実への関心は何と弱いものなのか、と。

それが学問の体裁をとろうと、日々の暮らしの中での下世話な噂話の類であろうと、人は、何と自分の見たいようにしか対象を見ないものなのか、と。

それが、百年前、五百年前の事ともなれば、どうしてごく僅かに残った史料から真相に辿り着けようか、と。

勝者の側から語られた歴史は嘘だらけだという人がいる。

それで敗者の側の史料に光を当てる。それは無論、結構な事である。だが、敗者もまた、嘘を付くであろう。いや、勝者よりももっと嘘をつく理由があるだろう。実際私達の誰が、実人生の中で、何事かで負けた人の言い訳を全部真に受けて聴くだろうか。

だからこうも言える、新しい資料が発見されれば、かえって真相から遠ざかる事も充分あり得るのだ、と。

歴史は、どの道、過去の人間の事績を語り直す事だ。

歴史は史料批判自体でもなければ、実証研究自体でもない。

実証は人間の事績に至る杖に過ぎない。

杖がなければ過去に遡る道は皆目開けないが、杖を盲信してもまた、一歩も歩けなくなるだけだろう。

私達が欲しいのは、杖の微細な精緻さの競い合いではない。

過去の人間の確かな聲（こえ）であり、息遣い（いきづか）いである。

事実の正確さにより近づいたと称する解釈を見たいのではなく、人間が生きて、事をなした、確かな姿を見たい。

史料をどんなに厳密に学問的に解釈しても、人間をよく知らない学者に歴史を蘇らせることはできない。

また、通俗作家や歴史解釈の転倒を狙う人達の頭の中に納まるほど、信長や光秀の生きた姿は小さくあるまい。

つまるところ、言葉から遡って人間に至る以外、道はない。言葉から歴史上の人物達の人間に肉薄する力がなければ、史料という杖は、思わぬ迷路に私達を誘いこむだけだろう。司馬遷や、シェイクスピアが所有していた、史料から人間を見抜き、それを改めて言葉にする眼力と腕力とを、今の歴史家もまた、何ほどかでも持たなければ、歴史の中に人の姿を掘削することなどまるで適うまい。

歴史は言葉に極まる。

だが、言葉から人間に遡る事は、実は大変な難事なのである。

私達の日常が、どんなに無数の誤解と傷心とに満ちているかを思ってみるがいい。家人や親友との言葉のやりとりでさえ、理解は厳しく阻まれ、葛藤の已む事はない。人と人との距離の隔たりに応じて、言葉の応酬、心の切実なやり取りはなくなり、誤解は減る代り、互いを理解する要もなく、人間は機能上の役割、記号と化す。

T・S・エリオットはこう言っている、「私たちは、せめて互いに誤解しあえる程には理解しあいたいものだ」と。

知らない外国語を聞けば、私達はまるで理解できないだろう。そこには誤解の余地さえない。だが、私達の日常は、その大半、実は同じような対人関係を消化しているだけではないのか。私達は、誤解しあえるほどに、他者と肉薄する機会さえ稀なまま生きて、死んでゆくのではあるまいか。

歴史を言葉から蘇生させるのが、そうした実人生での他者性との交感以上に難しいのはいうまでもないだろう。

膨大な史料に埋没するうちに、歴史は誤解する余地もない程、よそよそしい機能と記号へと化してはしまわないと、誰が言えよう。

少なくとも、私は、言葉を通じて人間に肉薄する、誤解多く、困難な道を回避する歴史研究に、歴史の蘇りを期待する事はできない。

言葉の力とは、必ずしも合理的なものではない。それどころか、本質において、呪術的なものだ。日本には言霊信仰があるが、これはなにも日本に固有の言語観ではないだろう。ニーチェはソクラテスによる思弁以前のギリシアのディオニソス的な言葉の呪力を想像し、白川静は、古代の漢字が呪術的、神話的な起源を持つと着想したが、私達は、今も、言葉の呪力の内部にいる。面罵（めんば）されれば深く傷つき、癌と宣告されれば心の暗がりに落ち込む。追い詰められれば呪文のように繰り返し祈りを捧げもしよう。

私達は、言葉の呪力の外に出て、物を考える事は決してできない。私達が言葉を扱っているのではない、私達の意識を生み出し、学問を生み出し、批判する力を生み出した当の力こそが言葉だからである。

そうした言葉の力を司馬遷（しばせん）や日本書紀、萬葉集は強烈に発散している。

宣長や松陰や西郷の言葉達もまた、強烈に放散している。

歴史を知るとは、過去の言葉のこの呪縛力を知ろうとすること、更に言えば浴びようとする事に他ならない。

*

歴史について日頃思うところを雑然と前置きしたが、別段の委細があるわけではない。

江戸から明治への転換、あるいは連続性について、考えてきた事を書こうと思うが、その肝心のところは、言葉から人間をどう蘇らせるかにかかっている、その事を先に言っておきたかったまでである。

私の問いは、端的なものだ。

なぜ日本は短時日のうちに、近代国家の経営に成功したのか。一方、私達現代の日本人が、喪（うしな）われた二十年と呼ばれた平成以後、どこまで行っても、ついにヴィジョンなき国家のまま漂流しているとすれば、それはなぜなのか。

最も問うべき要所は、明治維新の成功ではない。行き詰まり、老朽化し、統治能力を失った政権が政変で倒れるのは、歴史の常数に過ぎないからだ。

明治維新そのものよりも、遥かに驚くべきは、維新に続く大日本帝国の建設であり、短時日の内に、自前でヨーロッパモデルの国家を構成、維持し、あまつさえ強国に仕上げる事ができたという、その国家運営の成功の方なのである。

成功の鍵は何であったか。

私は端的にこう言おう、――明治国家を作ったもの、それは江戸思想だったのだ、と。

確認するまでもないが、近代国家システムは、司法・行政・立法の運用と、それを成り立たせる民度、軍の統帥権の確立を骨格としている。が、その実際は、法律の細分化、細かな人権の保護、権力の緻密な分散、遵法精神、資本主義市場の信頼維持など、極めて複雑な細部に専ら依存する。伊藤博文らが明治憲法という立派な憲法を起草できたのは偉業だが、真に驚くべきは、それをつつがなく運用できる社会が明治二十（一八八七）年に既にあり、殆ど混乱がなかった事の方であろう。

憲法に限らず、文書や機構だけなら頭脳で生み出せる。

が、数千万人の国家が、有機的に、生き生きと力強く動き出し、大きな政情不安もなく、軍事独裁化もせず、立憲君主政と資本主義を着こなし、善良な国民の良き日常を維持し、文化・学術の世界的逸材も輩出するとなれば、話は別になるだろう。

それらの功は、一概に制度に帰する事もできなければ、幕末の志士や、福澤諭吉ら一部の思想家、薩長政権の優秀さなど個別の条件を幾ら数え上げても、事情の本質は明らかになるまい。経済力で説明するのも無理である。

現代でさえ近代システムを本当に運用できている国は、実際には数少ない。いや、それどころではない。今、世界を領する米中ロという三つの軍事大国の内、中国とロシアは近代システムで運用されてはいない。独裁制、帝政の変態と呼ぶべきであろう。それ程近代国家システムを自前で回し続けるのは困難で、高く付く営みなのである。

では、近代国家システムの鍵は何か。

国民の「自由」の保障である。

なぜ自由が究極の近代的価値となるのか。

自由こそが人間の尊厳の根源にかかわる基底的な条件だからだ。自由には、大きく言えば政治・社会的自由（liberty）と、内心の自由、思想表現の自由（freedom）とがあるとされる。が、いずれの自由であっても、それらは事柄を突きつめれば、制度的保障に還元し切れるものではない。

これから書いてゆくが、江戸思想とは、まさに人間の尊厳と自由についての思惟と実践そのものだった、そして、それは西洋文明の急激な模倣という難しい局面に際して、明治日本の国民の尊厳と豊饒な自立とを守り、他方で近代システムの運用が可能な国民的気風をも築き上げたのである。

江戸思想は、武士の葛藤から始まる。

武士は、元来、戦争を職業とする。源平時代から勘定すれば五百年間、戦を事としてきた。戦争に勝ち抜き、安定統治を実現する為には、現実に立脚した合理主義が必要である。武家統治の五百年は日本人の実務能力、合理的思惟の力を鍛え続けたのだった。また、その間日本は、天皇を権威として奥の座に奉じる智慧によって、宗教的権威による政治支配を退けてもいた。近代への助走は余程長かったのである。また、武家政権は天皇による大政委任の大きな建て前の枠内で運営され、統治能力が喪われれば正統性そのものが消滅する、政治信任の独特な伝統を形成した。

いわばその集大成が徳川政権であった。

しかし、同時に、それは武士達にとっての墓場ともなる。

戦が消滅し、武士本来の職能が喪われてしまったからである。

しかも米本位制に拘束された武士階級は、貨幣経済の発達に置いてゆかれ、江戸時代を通じて貧困に苦しみ続けることになる。

誇り高い独立自尊の合理主義者らが、戦という職能を失い、しかも貧乏になった。武士による統治の正当性、いや、武士として存在する意味そのものがあるのかどうか——。彼らは、この課題を戦を通じて解く事はできない。こうして、統治階級全体を期せずして襲った、いわば実存的な課題こそが、江戸思想の原動力となった。戦の実地で解く事のできない問いを思想の道場で解こうとする、その真剣勝負から江戸思想は始まったのである。

こうした実存的な課題に、最初に正面からぶつかった思想家は中江藤樹（なかえとうじゅ）（一六〇八―一六四八）だったと思われる。

脱藩して帰農した人だ。

新たに成立した幕藩体制の君臣の倫理よりも、母親への孝行を優先し、藩に対して罪を犯してまで脱藩した。時代は未だ戦国の気風が色濃く、幕藩体制の秩序が固まる前の事だ。そうした体制確立期に、江戸時代の学問が、体制に逆行し、肉親への情愛を思想にまで高めた人から始まったというのは、余程面白い事ではあるまいか。

朱子学を徹底して学んで後、晩年に至り、陽明学に深く参じ、日本陽明学の祖とされるが、諸学混然となった人格の力それ自体が学問となった人で、私は、寧ろ、藤樹学という学問を樹てた人というべきだろうと思っている。

大覚明悟の人は、現世のことは申すにをよばず、生前死後のことはり、天地のほかの道理まで、黒白のいろをわかつがごとく、明らかに知たまふゆへに、孝悌忠信の神道をおこなひたまふこと、飢て食し渇してのむごとくにして、人のほむるをもよろこばず、そしるをもうれひず、富貴にも淫せず、貧賤にもたのしみ、わざわひをもさけず、福をももとめず、生をもこのまず、死をもにくまず、ただひたすらに仁義五常三才一貫の神道をおこなひたまふ事、水のひききへながれ、盤針の南北をさすがごとし。（『翁問答』上巻之末）

『翁問答』の一節だが、この短い章句の中に、既に禅と儒とが、朱と陽とが、和と漢とが、渾然一体となっている。

この書物は今も熟読玩味（じゅくどくがんみ）に堪える古典だが、その眼目は、明らかに「学問ノスヽメ」にあった。それも朱子学的な窮理（きゅうり）にも、古学以後の徹底した言辞の道にも主眼はない。藤樹によれば「惣じて世けんに、がくもんにはづれたるものはひとつもな」い。彼には後に福澤諭吉が必要とした実学という言葉さえ必要なかった。生きた人格に支えられた言葉が、読者の中の生きた人格を以て問い掛けてくるのを待っている、いわば平凡に見える真理の、非凡な実践が、言葉を生きた物にしている、それが藤樹の学問だった。

彼にはこんな言葉もある。

　万民は悉く天地の子なれば、われも人も人間のかたちのあるほどのものは、みな兄弟なり

かくして江戸思想は、早くもその暁鐘（ぎょうしょう）において、「天は人の上に人を作らず人の下に人を作らず」を、宣していたのである。

一方、江戸思想のもう一人の始祖というべきは水戸光圀（みとみつくに）であろう。『大日本史』という、近代的史料批判の歴史――ヨーロッパでのそれは十九世紀ドイツのランケに始まる――と、朱子学の名分論による批判的歴史が、光圀から始まった。契沖（けいちゅう）を招いて萬葉集の研究をさせたのも光圀である。自国の源泉に、客観的な史料批判を通じて迫ろうとする近代的な衝動が、江戸時代の幕開けと共に、鬨（とき）の声を上げた。

光圀はいうまでもなく徳川幕府を創始した家康の孫である。

脱藩して近江の僻村に農民となった藤樹と、神格化された幕府の創始者の孫である殿様が、江戸思想の幕を開けた。これは驚くべき自由ではあるまいか。しかも、前者は、万民が兄弟だと説き、後者は尊皇の名分論を説く事で、大きな文脈で見れば、ついに幕藩体制を揺るがすに至るダイナミズムの源泉に、それぞれなったのである。

以後、江戸思想は朱子学批判を軸に展開する。

これも江戸の自由と称すべき事実であろう。

朱子学は幕府公認の学問であった。林羅山（はやしらざん）を祖とする林家が歴代将軍の儒家となるが、江戸時代を通じて、それが生きた学問の上での主流とはなった事はない。寧ろ、ほぼすべての江戸の主要な思想家は、朱子学の批判的な超克を通じて、自己を確立してゆく。官学批判が学問の大きな潮流を生み出し続けた点で、江戸思想は、神学批判を軸に展開した近代ヨーロッパ思想の展開に類似する。

江戸時代が、学問を求め、真理を求め、人物を求め、日本中が人材と言葉の移動する時代であった事も、汎ヨーロッパ的に思想が展開した様と、あるいは似ているというべきかもしれない。学問の伝播は非常に広範なものであった。

一例として、藤樹学を見よう。生前藤樹は近江聖人と呼ばれたが、実際に近江まで参じた子弟は百人に満たなかったようである。が、没後その主著『翁問答』は江戸期を通じて人口に膾炙（かいしゃ）し、藤樹没後間もない頃、既に十七歳の新井白石（あらいはくせき）がこの書によって初めて聖人の道を知ったと回想している。没後七十年を経た頃には、二見直養（ふたみなおかい）（一六五七—一七三三）は幕府の諮問を受け『藤樹学術之詞書』（享保六〈一七二一〉年）を執筆し、徳川吉宗に供している。二見はこの中で「先師本邦数千載の後に生れて、前聖不傳の妙を、始て此土に興起せり（藤樹先生は、孔子亡き二千年の後にお生まれになられ、一旦滅び途絶えた孔子の教えの神髄を初めてこの日本に再興されたのです)」とまで激賞しているのである。

藤樹の二大高弟の内、熊沢蕃山は岡山藩主池田光政の厚い尊敬を受けた後、大老堀田正俊の庇護を受け、淵岡山もまた晩年大老堀田正俊の私淑を受けるに至っていた。彼らの門弟を通じ、日本中に学脈が広がる。中でも、藤樹、蕃山の著述の影響下、藤樹学と陽明学のメッカ京都学館を主宰する淵岡山の孫弟子二見直養と、朱子学から陽明学に転じた三輪執斎が、日本陽明学を隆盛に導く。その恩沢の系譜は、三宅石庵(一六六五―一七三〇)、五井蘭州、中井竹山を経て門弟三千人と言われた佐藤一斎に至り、幕末維新の最大の原動力となったと言ってよかろう。一斎の『言志四録』の影響が今なお色濃く日本の読書人に残っている事は改めていうまでもあるまい。

これは一人藤樹、蕃山の系譜のみの話ではなかった。

伊藤仁斎に始まる古学も、契沖に始まる国学も、石田梅岩に始まる心学も、大きな系譜の種を日本中に撒き続け、道の学問は津々浦々まで、また、士農工商すべての階層を巻き込み、密に伝播してゆく。それに加え、仏道があり、武道があり、茶道があり、歌道があり、俳諧もまた生じ、婦人もそれらに参じ、それらに伴い書画骨董も、人心を磨く道となってゆく。これらの諸道が、それぞれに深く交渉し、一人一人の日本人の中に独自の人格的な華を咲かせていったのである。日本中の郷土史を丹念に収集すれば、山間僻地にまで及ぶ、これらの道の波の大きく深い広がりは、想像を絶するものだろう。江戸日本は、文字通り道楽の花開いた国であった。無論、寛政異学の禁があり、海外渡航は厳禁、キリスト教は弾圧されていたが、それを以て自由の制約の大きな社会だったというのは、こうした学脈、道の心得の国を覆う広がりを見れば、およそ一面的で馬鹿げた物の観方という他はあるまい。

藤樹最大の高弟だった熊沢蕃山は、藤樹が孝経をお経のように毎朝唱える習慣を作り出した事を、新興宗教のようだと強く批判した。他の門弟からは憎まれたが、師の謬説は公然と批判すべきだとして、蕃山は譲らなかった。本居宣長とその師、賀茂真淵との往復書簡の厳しいやり取りも瞠目に値する。宣長は、遠慮会釈なく、真淵の学問への根底的な懐疑を呈する。しまいに真淵は怒り出す。ここまで私の学問を批判するなら、師弟である意味がないではないかと言うわけである。次の手紙で宣長は平身低頭謝ってはいる。ところが、平謝りの舌の根も乾かぬうちに、また、同じ疑問を繰り返すのである。真淵は呆れながらも、改めて弟子の呈する疑問に丁寧に応じている。

人間的な骨格や料簡が、我々現代人とは違う。

当世の学問人や文藝の徒らとは、漲るものが違う。

今、日本のアカデミズムで「大東亜戦争」の呼称を用いるのは不可能であろう。アジア・太平洋戦争という、当時の誰も与り知らぬ呼称を勝手に拵え上げて客観めかす歴史――言葉の偽造が強制される言語空間に、どんな学問の自由があるというのであろうか。

権威の否定をどれほど今のアカデミズムが忌避しているかも言っておこうか。本人が亡くなって随分になるが、アカデミズムの中での丸山眞男(まるやままさお)批判は、いまだに腰が引けたものばかりではないか。また、指導教授の研究を公然と批判できる空気が、今の大学に果してどれ程あるであろう。一方、弟子に批判されて真淵のように誠意を以て応じ続けられる師が、大学人の間にどれ程いるだろう。

昨今世を賑わせている日本学術会議の総理任命権において、一部学者が「学問の自由」を呼号している有様など、醜悪という他はない。たかだか政府に任命される特別国家公務員の地位と学問の自由とが、一体どこでどう関係するのか。

自由とは制度により保証されるものではない。制度や法律の文言が幾らそれを保証しても、人々の心を縛る、別の社会的な不文律が瀰漫(びまん)し、人々が唯々諾々とそれに従えば、そこに真の自由は存在しない。

江戸思想の「自由」は筋金入りだった。人格の芯を貫いていた。

こうした江戸思想の自由と近代性を考える時、そこに二つの大きな潮流があった事は、やはり確認しておきたい。

二つの潮流が、相互に排除しあわず、隆盛を極めた事こそが、江戸の学問の真の自由と豊かさ、そして人間的な開明性を保証する根底的な事情だったと思うからだ。

一つは、丸山眞男、小林秀雄、吉川幸次郎らが着眼した、仁斎、徂徠、真淵、宣長という系譜である。

一言で、言葉への関心の系譜と言ってよい。徂徠、宣長は、世界の思想史においても、偉大な言語哲学者の内に数えられるだろう。いずれも、言葉に即して分析し、古代の精神を再現するというアプローチだが、単なる分析学ではなかったからである。古代研究がそのまま近代批判になっている。これはニーチェと共通し、しかも、宣長に至ると、中国と日本の思惟構造の根底的な差異に言語そのものから肉薄した結果、人間の世界認識の奥深い揺らぎを抉り出して、脱構築以後の西洋思想を、遥かに精妙に、より真っ当に先取りしてもいる。

江戸思想のこうした徹底的な言語哲学上の鍛錬が、近代西洋の哲学や自然科学を受容する上で大きな役割を果たした事は間違いない。ヨーロッパの学問は「言葉」と「認識」を軸に展開してきたものだが、言葉そのもの、認識そのものを問うという思惟は、よほどの訓練を経なければ、問いの意味からして、まるで理解できない筈だからである。

その意味で宣長の『源氏物語』論はとりわけ象徴的である。『源氏』は、仏教の立場からも儒教の立場からも、長年非難の的であった。性愛に人生を賭け続けた男の物語であるのだから当然であろう。しかも、光源氏は、父天皇の最愛の正妃だった藤壺を犯し、その不義密通の子が天皇に即位するのだから、日本で書かれた最も不穏当な物語でもある。ところが、皇国の道を説く宣長が、誰よりも本質的な『源氏』擁護論を展開しているのだから面白い。

源氏物語とは、人間の実の情を細やかに描き尽くした物語であって、それが真実であるからこそ尊く、だからこそそれは道なのだと宣長はいう。

おほかたの人のまことの情といふ物は、女童のごとく、みれんにおろかなる物也、男らしく、きつとしてかしこきは、実の情にあらず、それはうはべをつくろひ、かざりたる物也。

（紫文要領下巻一二九頁）

仏教にせよ儒教にせよ、道を説く。武士道は、義を唱え、死に面しても泰然自若とし得るような人物たる修養の必要を説く。

宣長は、それらを否定する。そんな事は、賢しらぶりであり、人間の情において不自然な強がりに過ぎないと断じた。人間はどんな偉そうな事を言っても、情において弱く脆いものだ。日本人はこれを歌に乗せ、定型に託す事で、情を強気と理屈でひねりつぶすのではなく、情を認めたまま、これを整えるという道を磨いてきたと、宣長は言うのである。

仁義礼智などと、事々しく理論で心を武装するよりも、情の弱さや迷いを認めた上で、それを歌にし、物語にして心を整える、この道こそが、日本人の見出した誠である、『源氏物語』はそうした人情の自然、もののあはれを、めでたき文体で表した小説なのだ――。こうして宣長は、『源氏物語』を日本人の人間観、世界観の表現と見る事で、期せずして根柢的な価値転換を図った事になる。

が、興味深い事に、この系譜は、江戸の学問の実際の主流とはならない。江戸の学問の主たる関心事は、逆に宣長が徹底的に批判した、人間修養としての道の実践であった。

それが江戸思想のいわば本流である。

既に紹介した蕃山はとりわけ私の好きな思想家だが、偏見の全くない透明で謙虚な知性で、読むたびに快い衝撃を受ける。例えば、こんな一文はどうだろう。

人は皆天地の子なれば、何のいやしきものとかいふものあらん

一方伊藤仁斎は『論語』の解釈の上で、史上最大の革命者だったと言えようが、その鍵概念は仁であった。では、仁斎によれば仁とは何か、「曰く、愛のみ」というのである。

論語理解の根本を愛に置いている。君臣義あり、父子親(しん)あり、夫婦別あり、朋友有信(ほうゆうゆうしん)ありと

『孟子』に言うが、根本は全て愛だと、仁斎は説く。

一方、武士道を確立したのは山鹿素行である。赤穂藩にいたため、赤穂浪士討入は、山鹿流軍学に依っているし、松陰も同じ山鹿流だから、その流れから乃木希典も出る事になる系譜である。素行は、当時のあらゆる学問を修めた人だが、その極みにおいて、日本こそが真の文明だという結論に辿り着く。長年支那を崇拝してきたが、間違っていた、実は日本こそが王道をゆく国だという立場から『日本書紀』を釈したのが、素行の『中朝事実』であり、近代に入りこれを復刊したのは乃木希典であった。乃木は昭和天皇幼少時の師である。明治天皇に殉じて切腹する数日前、皇太孫だった幼い昭和天皇に『中朝事実』を渡し、「大きくなったらぜひお読みください」と遺言した。ならば、こういう事になる、昭和天皇には乃木希典を通じて、松陰、素行、中朝事実の血脈が流れ込んでいたのだ、と。

江戸思想の豊饒を何より決定づけるのは、こうした人達が皆、流派に固着しなかった事だ。朱子学者、陽明学者、国学者という言い方があるが、江戸学の巨匠らの学問はいずれも博大で、こうした呼称は便宜上のものに過ぎない。

皆、自ら古典に体当たりし、師匠を探しては体当たりし、自ずと生まれた確信が学問となり、説得と論争の応酬が生じた。

これを学問の自由、精神の自由と呼ばずに、何と呼べばよいのか、私には分からない。

こうした全国民的な思想的鍛錬こそが、日本近代を可能にしたと私は考える。連続の系譜を辿るのはさして困難ではない。

例えば――。

新渡戸稲造、内村鑑三、福澤諭吉の三人に、江戸思想から日本近代への必然と言える鎖を見出せるかどうか、見てみるとしようか。

新渡戸と内村はクリスチャンだったが、それぞれ英語で『武士道』、『代表的日本人』を著しているのが興味深い。彼らの場合、もし日本人としてのモラルバックボーンに強い自信がなかったならば、キリスト教入信もまたなかったであろうからだ。

新渡戸が『武士道』を発表したのは明治三十二（一八九九）年の事だが、執筆の動機ははっきりしている。新渡戸によれば明治国家を可能にしたのは武士道、いわば一連の生きて血の流れている道徳的体系なのだが、それが今や風前の灯となっている、それを救出しつつ、日本人を無宗教だとして軽侮したがる欧米知識人らの誤解を解こうとしたものだ。

新渡戸は言う。

> 武士道をその幼時から養育してきた神道はそれ自体既に老い、中国古代の聖賢の教えは退

けられて、ベンサムやミルのタイプの知的成り上がり者にとって代わられた。（略）しかし今日なお、それらの騒々しい声は通俗的なジャーナリズムのコラムによって聞かされている に過ぎない。

どんな新規の功利主義や快楽主義が「知的成り上がり者」達によって唱えられようと、日本人の血の中には武士道に集約された人の道が流れている。だが、それを誰かが今、纏めて言葉にしておかなければ、やがてこの血の中に流れている「道」が、「知的成り上がり者」の喧伝（けんでん）にかき消されてしまうのではあるまいか。――『武士道』はいわば早くも散逸し始めた武士という名の聖人達の言行を収載した、「福音書」だったのである。

『武士道』は、欧米の読者を想定して、エドマンド・バークとカール・マルクスの引用で始まる。マルクスについては逆手に取った引用だが、その視野は正確で、広い。絶えず比較思想の手法を用いつつ、仁が語られ、誠が語られ、名誉が語られ、敵討ちと切腹が語られる。比較文明論の世界的な嚆矢（こうし）と言えるだろう。しかも、嚆矢と言っても、現在までこうした著述に、そう名著が出現したわけでもない。近代欧米人の非西洋世界への蔑視は甚だしく、彼らは今でもこうした、敬意を込め、平静に、対等に、彼我を語る事がなかなかできない。この一事だけでも本書の値打は充分にある。

古代エジプト神話の中で、オシリスが我が子ホラスに「この地上にあって最も美しいものは何か」と問うと、「それは親の仇を撃つ事です」と答えているが、日本人はこれに「主君の仇」という言葉を付け加えるであろう。

敵討（かたきうち）のくだりである。新渡戸は近代法の整備と共に仇討ちそのものがなくなった事は、とりあえず肯定しながらも、明らかにそれを惜しんでもいる。

なるほど法が整備されれば仇討ちはなくなる、仇討ちなど近代法治国家以前の蛮習に過ぎない、まずはそう言いたがる向きも多かろう。が、本当にそうか。法を整備し、隅々まで近代イデオロギーの行き渡った事で、私達が得たものは、失ったものより価値が高いと言えるのか。その多くが、「知的成り上がり者」の「騒々しい声」以外の立派な何かだったというのは、一体本当の事なのか。

今、日本のみならず世界中で、民主主義や人権が最も普遍的な価値観とされている。恐ろしい蛮習というべきであろう。それらは近代が生み出したイデオロギーに過ぎないからである。人間の、より永遠に続く「道」を抜きにして、政治イデオロギーを社会の最上位とするような思考の行き着く先は、独善と全体主義でしかない。イデオロギーはどんな美辞麗句であれ、言葉の形をとった政治であって、自らを正義と主張する事で、必ず人を威服し、強制しようとするに至る。財産の平等を説いた共産主義が行き着く先と、民主主義や人権の普遍性を振りかざす現代のリベラリズムの行き着く先が、そう遠くにあるとは、私には到底思えない。イデオロギーは、政治であれ、アカデミズムの権威であれ、メディアという名の「騒々しい声」であれ、powerを手に入れれば、必ず本性を現す。

だが、人間にもし、精神と呼んで然るべき何かがしかがあるのだとすれば、それは政治やpowerに隷属する事を、必ず、絶対的に峻拒（しゅんきょ）するに違いない。仇討ちが何らかの意味で、そうした精神の領域、人間の真の自由の領域と関わっていなかったとしたら、曽我兄弟、忠臣蔵が今に至るまで、人の心をかくも動かし続ける筈はなかったであろう。それらは権力やイデオロギーとは最も懸け離れたところにある。また、復讐の嗜虐（しぎゃく）とも程遠い。寧ろ優情と自己犠牲に深く関わる。仇討ちを人間に本質的な「思想」だとした新渡戸が、一方で「最も剛毅なる者は最も優しくなごやかで、最も愛のある者は最も勇敢である」と説いた所以である。

剛毅なる者が残虐で、勇敢な者が力に任せて暴威を振るえば、どうなるか。何もそれはネロやアッティラや煬帝ら、過去の暴君だけの話ではないだろう。イデオロギーが権力の形をとれば、それもまた、容易に残虐な暴威と化すだろう。そこでは他者の自由が抑圧されるだけでなく、権力を行使する者達自らもまた、powerを行使する事に唯々諾々と隷属する事で、自己の内にある人間としての自由を自ら殺す事になるだろう。

剛毅である者が最も優しくあるところにしか、人間的な自由はない。

自由を保障するものは制度ではない、道徳と総称される道の学びこそは人間的自由の為の広々として高らかな庭である。

私達の肉体は二百万年前から今と同じ構造をしている。が、誰も肉体の古臭さを言うまい。決定的な所与だからである。道徳もまた、人類史と共に古く、古いがゆえに決定的な所与である。肉体を疎かにすれば人生が成り立たぬように、道の問題を疎かにして人生が成り立つはずがない。それはホモサピエンスが人間となる上での決定的な契機だった。これのどこが古臭い話であろうか。

さて、内村鑑三（うちむらかんぞう）となれば話は遥かに複雑になる。内村は新渡戸のような教育者・啓蒙家ではなく、道徳の輝かしい扼殺（やくさつ）の後になお残存する啓示としてのキリスト教だけが、彼にとって肉に食い入るような決定的な体験だったからである。

ところが、この筋金入りのクリスチャンでさえもまた、血そのものが武士道であり、儒であった。

内村は、近代ヨーロッパという野蛮な文明を、キリスト教抜きに輸入したら、途轍もない道義的な崩壊が起きると予言した。だから逆に、近代ヨーロッパを受容する以上、キリスト教という西洋の霊的な本質をも徹底的に受容しない限り、近代日本には大きな破綻が来ると考えた。新渡戸と同じ着眼によりながら、逆を行った事になる。

内村は「武士道は日本国の最善の産物」とするところまでは新渡戸に同意しながらも、次のように言うのだ。

然れども神の義に就き、未来の審判に就き、而して之に対する道に就き武士道は教ふる所が無い、而して是等の重要なる問題に逢着して、我等は基督教の教示を仰がざるを得ないのである。

「武士道を軽ずるものが基督の善き弟子でありやうがない」が、それはあくまでも人の道の話である。人の道と「神の義」は全く違う。福音は信ずべきものであって、合理的な判定によって理性で受け容れるものではない。内村は聖書を味読する事で、人の道に還元できない神の領分を直知した。直知した以上、内村のキリスト教は、新渡戸の人間主義的な理解とは隔絶され、彼を生涯絶えず、原理的な問いへと突き返す。

その象徴ともいうべき問いが、有名な「二つのJ」であろう。

Japan と Jesus の事である。

内村は、二つのＪのみしか私は愛し得ないとまで極言するが、大日本帝国が、天皇を、単なる立憲君主制を超えた宗教的な国家原理とするならば、二つのＪは深刻な葛藤を生じるだろう。実際、内村は生涯その葛藤を手放さなかった。

> 日本の天職は何乎。日本は特に何を以て神に事ふべき乎。世界は日本より何を期待する乎。日本は人類の進歩に何を貢献すべき乎。是れ日本人各自に取りて切要なる問題である……。

何と端的な問いであろう。しかも内村の答えは簡明なのだ。日本人は宗教の民であり、故国で衰滅した仏教や儒教を日本が再生したように、キリストの福音は、堕落した西洋を離れ、日本において成就すると彼は言うのである。

しかしその福音は、決して優しい子守唄のような救いではない。

日露戦争における内村の非戦論は、例えば次のような激語で綴られてもいるのだ。

> 逝けよ、両国の平和主義者よ、行いて他人の冒さざる危険を冒せよ、行いて汝等の忌み嫌ふ所の戦争の犠牲となりて殪れよ、戦ふも敵を憎む勿れ。……人は汝を死に追ひ遣りしも神は天に在て汝を待ちつつあり、其処に敵人と手を握れよ。

原理を体で生きて荒野に咆哮するような、こうした内村の福音主義が、キリスト教の神学伝統の中で生まれるとは考え難い。侍が、武士道を道の果てまで生きて、その先で、侍を捨てずに裸形のまま敵と刺し違えれば、それが内村の福音なのである。

こうした実存主義的なキリスト教の受容と体得とは、単純な宗教伝統に安らってきた国からは生れようがないし、功利主義が領する十九世紀以後の西洋でも出現し得まい。内村の中では、個としての徹底した実存と福音への信仰、それが日本という深く了知された観念と分かち難い結晶となっている。

だが、こうした内村の信仰は例外だろうか。それならば江戸初期のキリシタンらの殉教とは何だったのか。キリシタンらは、その信仰の実践において、「行いて汝等の忌み嫌ふ所の戦争の犠牲となりて殪れよ、戦ふも敵を憎む勿れ」という、峻険（しゅんけん）な福音への道を、誰に言われる事もなく、キリスト教の神学的な理解の積み重ねによるのでもなく、踏み行ったのではなかったか。ならば、日本近代は、ここでもまた江戸初期に既に基質的原形を、より純度高く成していたというべきなのである。

さて、それに対してもう一人取り上げる福澤諭吉が、新渡戸や内村に先立つ世代の世俗的近代を代表する思想家であるのはいうまでもない。
福澤の近代理解は概して驚くほど精確だが、実は彼の思想の骨格もまた、儒学であり武士道であった。『學問ノス、メ』も、さしずめ近代版の論語というべきもので、私は、当時の日本人が、これをまるで言葉に飢えた人のように貪り読んだのも、新しい時代の聲（こえ）が、実は、古来聖賢の道の神髄を、全ての虚飾と古色を取り去って平易に説いたものだった事への喜びの為だったのではなかったかと、疑っている。

福澤は説く、学問とは難解な古文を読み和歌を楽しみ詩を作るというような「世情に実のなき文学をいふ」のではない。それも人の心を喜ばしめるのだから調法なものではあるが、まずは「人間普通日用に近き実学」を修めるべきである。だが、それならば、この福澤の教えは、殆ど『論語』の説くところに近いのである。『論語』は仁を始めとする観念の思弁的な解明ではない。「郷党篇」に最も端的に表れているが、どの頁も、実は、学問、礼、孝についての具体的で、日用の、心がまえとやり方が書かれている。江戸時代の学問が、一貫して朱子学の虚飾性への批判を通じて、日本人の道の教えを深めてきたことは既に見ているが、それは基本において『論語』への回帰の構造をなしている。

福澤の虚学批判がそれらと違うとは、私には思えない。

「天は人の上に人を作らず人の下に人を作らず」という有名な書き出しにしても、平等だから権利を主張しろという話ではない。平等なのだから頑張って偉くなりなさいという話なのである。どの頁でも説かれているのは、自立の精神だが、自立も克己も藤樹以来江戸思想が磨き続けた思想に他ならないではないか。

なるほど、福澤の封建日本に対する評価は、概して厳しい。『文明論之概略』は日本の国民的な気風には権力の偏重があり、それが日本の文明の開発を遅らせたとの指摘もある。が、福澤のこうした日本批判は大東亜戦争敗戦の後に群生した日本否定者らのそれとはまるで違う。彼は眼前の日本人の気質に強く飽き足りないものを覚えているだけだ。独立した強い日本人であれ、強い日本であれと願い、人間を歪ませ、卑屈にする要素は、何に由来しようと偏見なく弊害と認め、除去しようとしただけだ。それは肌に来る感覚であって、観念の上で西洋を有難がって日本人を貶める近代主義者らの類では全くないのである。

西郷隆盛へのオマージュである「丁丑公論（ていちゅうこうろん）」で、福澤は「西郷は天下の人物なり」と言っている。「天下の人物」という語彙が西洋近代には存在しないのは断るまでもあるまい。

西郷は少年の時より幾多の艱難を嘗めたる者なり。学識に乏しといへども老練の術あり、武人なりといへども風彩あり、訥朴なりといへども粗野ならず、平生の言行穏和なるのみならず、いかなる大事変に際するもその挙動綽綽然として余裕あるは、人の普く知るところな

らずや。（四〇頁）

この人間観は、日本人が江戸時代までに涵養してきた日本人の典型的肖像に他ならない。それに対して内村の『代表的日本人』が描く西郷となると、「聖アクィナスより謙虚で、秀吉と並ぶ大陸的雄図の持主にして理想化されたピューリタン——道徳的な偉大、偉大の最善のもの」の体現者という、まことに奔放な話になる。

こうした二人の西郷観を並べれば、日本の西洋受容が、いかに機械的、受動的、文化隷属的な輸入とは異なり、徹底的に「日本」に、日本人の独立に立脚したものだったかは、最早贅言を要すまい。

江戸思想が明治国家を準備したと私が言うのは、こうした点にある。

江戸思想は、武士の実存的な煩悶に端を発し、幕府が制度化した朱子学イデオロギーへの多様で根源的な懐疑の集積であった。民族としてのこうした思想的経験がなければ、新渡戸、内村、福澤らのような、本質的な近代批判者による、近代受容などという藝当は到底不可能だったであろう。

逆にそのような思想上の厳しい訓練なしに西洋近代を受容などしていたら、私達は、制度の問題としてではなく、精神の問題として、固陋な後進国のまま消化不良で病み果てるか、西洋に丸ごと飲み込まれるか、いずれかの運命を踏む事になったであろう。

＊

昭和十五（一九四〇）年に発表された小林秀雄の『文学と自分』――講演速記を元にしたエセーである――は、刑死に臨む吉田松陰の「真の自由」に触れて終っている。

もう一つお話しします、これは歌です。人間の真の自由といふものを歌つた吉田松陰の歌であります。松陰が伝馬町の獄で刑を待つてゐる時、留魂録といふ遺書を書いた事は皆さんもご承知でせうが、そのなかに辞世の歌が六つありますが、その一つ、

呼びだしの聲まつ外に今の世に待つべき事の無かりけるかな

呼びだしとは無論首斬りの呼びだしであります。長い間御清聴を煩はして有難うございました。

この頃、小林秀雄はドストエフスキーと十年来格闘し続けていた。中でも、『白痴』は小林のドストエフスキー理解の鍵となる作で、彼のドストエフスキー論は、結局『罪と罰』から『白痴』への飛躍を、戦前と戦後、二度執拗に辿り抜く事で力尽きるのだが、『白痴』は、ドストエフスキー自身の処刑体験を重要なモチーフにしている。ドストエフスキーは、ペトラシェフスキーの革命運動に参加したとして逮捕され、銃殺刑の判決を受けた。連座した二十一名は、刑場に連行され、まず三名が、柱に縛り付けられる。ところが、銃口が向けられたところで、減刑の勅令が読み上げられ、全員シベリア流刑となった。皇帝の戯れによる残酷な狂言である。ドストエフスキーによれば、一人は発狂したと言う。

小林が、松陰の辞世を、ドストエフスキーが『白痴』で三度にわたり描き分けてみせた銃殺刑直前の人間の心の内と重ね合わせていたのは間違いないだろう。

　もし死なかったらどうだろう。もし命をとりとめたらどうだろう。無限だ！　そしてその無限の時がすっかり俺のものになるんだ。そうしたらおれは各々の瞬間を百年に延ばして、一物たりとも失わないようにする。各々の瞬間を一々算盤で勘定して、どんなものだって空費しやしない。（『白痴』）

松陰の辞世を、『白痴』のこの一節と並べてみるがいい。

その閑寂（かんじゃく）、全く澄んだ日常、「もし死なかったら」でなく、死のうと死ぬまいと、そこに確かにある人生の全体性の味わいの淡々たる心のさまを、おそらく小林は「真の自由」と呼んだのである。

松陰は、江戸思想の粋というべき人であった。その意味で、松陰の自由は、江戸時代に日本人が到達していた自由の象徴でもあったのであり、明治以後も、その血脈は受け継がれたのである。

この自由の中に、内村鑑三の言う「日本の天職とは何か」という問いを置けば、私の拙い試論の行方も、甚だ茫漠としたものながら、見えてきはしないか、末尾にそうした予感を書き留めて、筆を措（お）く。

付記：読者におかれては、江戸思想の主著を現代語訳でいいから是非通読してほしい。ホッブス以降の社会契約論、カント以後の主要な哲学の系譜、ポストモダン、ロールズ、ピケティ……。それらも必読ではあるのだろう、が、『日本書紀』は読んでいるのか？　江戸思想の基本書は読んでいるのか？

日本は後進国ではない。日本の知識人が自分の国を再生し、活性化したいのであるならば、自国の思想書を一渡り知らなければ、話はまるで始まろう筈がないではないか。

保田與重郎試論――萬葉集と大東亜戦争

保田與重郎（やすだよじゅうろう）について書く。

とても難しい事である。

保田の文学史的な位置は、未だに安定していない。

昭和戦前・戦中を代表する文藝批評家であったが、日本浪曼派の事実上の主宰者としてのその言説によって、戦後、国粋主義、軍国主義の鼓吹者とされ、文壇や知識社会からの白眼視は、事実上、生涯解けなかった。


僕が保田君に質（ただ）したいといふのは、戦時中の君の著作が、どのやうに異様な骸骨の踊りを踊つたかについて、君の眼がどのように明晰でありえたかといふことである。宣長の神道、あるいは中世の隠遁詩人の構想した美的生活は、君は現代を弾劾しつつ、くりかへし説いたところだが、およそ隠遁詩人とは逆の人生にあやつられて行く自己について、異様に感じたに違ひない。

多年、文学上の同志であった亀井勝一郎による「保田與重郎へ」というエッセイの一節である。昭和二十五（一九五〇）年の文章だが、亀井は要するにこう言っている。保田は、文章の上では、しばしば、神ながらの道、隠遁詩人を語って戦時中の時流を弾劾したが、事実としては、その文章の激越な陶酔調によって、無数の若者を戦死に追いやったのではないか。保田が実際に演じた時代的な役回りは、結局自分の意図如何を越えて時局に振り付けられた「異様な骸骨の踊り」だった、ならばそれは事実上軍国主義の鼓吹ではなかったのか、その反省は如何。亀井の問いは、そう要約できよう。

では、実際の保田は、戦時中、時局に対して、例えばどんな事を書いていたのか。

（江戸の国学者は）今日の時局日本主義派の如くに、萬葉集の中から国家精神を讃へる美辞を只抽象化するといつたやうなことを決してしてゐない。（保田與重郎全集一五巻『萬葉集の精神』講談社二二〇頁）

今日の時局的短歌といふものも最も類型の低俗的なものである。（略）昭和十六年現在、この皇国未曾有の日に、皇国文芸の本体は、国家の公的文化面より後退した。（同四二〇頁）

いうまでもなく、時局的短歌を戦意高揚に利用しようとしたのは時の日本政府であり、軍官僚であり、何よりもジャーナリズムである。保田のこの一文は、そうした権力と時流による文化政策を一刀両断し、根底から侮蔑するものだ。戦後になって声高に軍部批判を始めた多くの隠れ共産主義者や戦後民主主義者の誰か一人でも、昭和十七（一九四二）年にこうした文章を公表した人間は、間違いなくいなかった筈である。

では、保田の何が「異様な骸骨の踊り」だったのか。

今や皇国の戦ひは、人為人工の努力に二百年をかけてきたものの最高力と戦つてゐるのである。かりそめの精神主義が、日夜に没落し去るのは当然である。されば相手は十日や一年で養つた感情や思想で、破りうる如き敵ではない。（略）

ここに我国の若者は、（略）戦争といふ事態の中に道を求め、真日本人として、忠良の臣民となつて参りますと云うて、召されて出てゆくのである。これが大君のみこと畏み、大君の辺にこそ死せんとの国ぶりの志である。（略）

この心に向かつて、人為人工の戦争経営論のみ説かれることは、悲しく寂しく空しい限りである。我らは時務論を云はず、草莽の衷情を訴へ禱つてゐるのである。（全集一九巻五三〇頁「文学的時務観」)

戦時中に無数に書かれたこうした文章が、戦後、戦争賛美に一括されたのは言うを俟(ま)つまい。

が、これは時局に合せて踊られた「異様な骸骨の踊り」だったのだろうか。

近代戦を戦う上での彼我の圧倒的な実力差は、当然保田においてよく自覚されている。しかも、保田は、かりそめの精神主義を絶叫しての戦意高揚などに同調する気は全くなかった。それならば、戦が始まった事をまず神意と見た上で、日本の禱りを行くしかないではないか、これは狂信ではなく、あの時代に一文学者の立ち得る唯一の合理だったとさえ言えるであろう。

保田は、元来、近代西欧文明そのものを文明として低級視し、全面否定してきた人である。文藝において近代西欧の攘夷を主張してきた。文藝上のガンディー主義者と言ってよい。だからこそ保田は、現実の対欧米戦争に相会した時、そこに攘夷の神意を見たのである。その意味で、これは寧ろ、時局を批判しながら、大東亜戦争の精神を救う立場だった。

だが、近代の攘夷としての大東亜戦争の精神を救うことは、戦争の勝利を意味しはしない。寧ろ、保田は、彼が「日本」の本質として語ってきた、日本武尊(やまとたけるのみこと)、大伴家持(おおとものやかもち)、和泉式部(いずみしきぶ)、木曽(きそ)義仲(よしなか)ら「偉大なる敗北」の系譜の最大の民族的事件を、大東亜戦争に見た。

したがって、それは情勢論的な戦意高揚とは対極にある。

寧ろ、戦争指導者による時代への呼号ではなく、一兵卒の覚悟に照応する。だからこそ「大君の辺にこそ死せん」という筆が、即座にそのまま苛烈な時局便乗主義批判にもなる。

時局の側からは寧ろ面倒な人間だった。

実際、昭和二十（一九四五）年三月、三十五歳の保田は召集されている。肺炎に罹患したまま、北九州の港から朝鮮半島を経由して北支に派遣されたのである。この暫く前から、自宅は憲兵の監視下にあったという。保田の文化政策糾弾に対する、当局者一部の報復であろう。

ところが敗戦後、戦地から命からがら戻って来た保田を待ち受けていたのは、公職追放のみならず、文壇からの追放だった。冒頭紹介した亀井勝一郎による批判は、その一例に過ぎない。

保田はそれに対してどう処したか。

亀井の批判に対して、保田は「亀井勝一郎に答へる」を書いて応じた。その全文は旧友へ温和に語られた文明論と言っていいものだが、中に「戦争中の自己を『弁解』するという気持が大きいという事、これが小生には最も情なく思はれる」と言いつつ、次のように激烈な文章が出てくる事は、注目されていい。

仮定として云ふことだが、小生が一日本人であるといふ理由で、無実にもかかはらず、日本人の誰かが犯した罪を負はせられて、見せしめのために、十字架上に磔せられる。世界の人々は、人類の名によつて、十字架上の小生を完全に罵り憎む、小生は戦争に行つた日と同じ気持で、海ゆかばを歌ひ、朝戸出の挨拶を残して、死す。（全集二四巻四一九頁「亀井勝一郎に答へる」）

いうまでもなく、昭和二十四（一九四九）年は占領検閲下である。また、戦前の日本は全否定され、連合軍の正義と日本軍国主義の悪は戦後の言論空間における新たで絶対的なテーゼだった。その時に、「小生は戦争に行った日と同じ気持で、海ゆかばを歌ひ、朝戸出の挨拶を残して、死す」と書くのは、戦時中に時局的短歌を「最も類型の低俗的なもの」と否定し、「昭和十六年現在、この皇国未曾有の日に、皇国文藝の本体は、国家の公的文化面より後退した」と書くのと同じ位、勇気の要る行為だったのは間違いない。

戦後、こういう事を明確に、それもここまで激しい言葉で言い放った文学者は、川端康成（かわばたやすなり）や小林秀雄（こばやしひでお）を含め、残念ながら他に一人もいないのである。昭和初期に知識人の主流をなしていたマルクス主義者の多くは、昭和十年代には国家主義者になり、大東亜戦争期には聖戦貫徹を怒号し、戦後には掌を返したように軍部を非難する戦後民主主義者に生まれかわっていた。

が、この保田の言葉で重要なのは、これが単に反時代的な啖呵（たんか）ではない点である。

「海ゆかば」は軍歌だが、保田がこの歌をあえて挙げた時、その意味は単に軍歌を歌いながら死地に赴くという意味ではなかった筈だからである。

よく知られているように、「海ゆかば」は、大伴家持の長歌の一節に、信時潔がメロディーを付けたものだ。

海ゆかば水漬く屍　山ゆかば草生す屍　大君の辺にこそ死なめ　顧はせじ

だが、保田はここで、軍歌を引いたのではない、大伴家持の思想を引いたのである。家持の「大君の辺にこそ死なめ」という思想を引いたのである。

なぜそう言えるのか。

保田こそは、萬葉集の頂点を柿本人麻呂と見る、正岡子規以後アララギに至る萬葉理解に対して、萬葉集の核心を大伴家持の側に見、家持の「大君の思想」を、標語としてではなく、思想として発見した人だったからである。そして、彼が、萬葉集に家持の「大君の思想」を発見したのは、まさに支那事変から大東亜戦争にかけての「皇国未曾有」の危機においてであった。

だから、保田が、戦後になってあえて「海ゆかばを歌ひ、朝戸出の挨拶を残して、死す」と書いたのは、日本の危機の中で自らが発見した「大君の思想」に、戦後にこそなお自分は殉じるのだという意味であって、例えば小林秀雄が戦後の座談会で「僕は馬鹿だから反省なぞしない」と言ったというような話とは全く違う。小林の場合は、歴史という巨大な現象にどう処するかという処世術を語っている。小林の戦中の沈黙も、戦後に戦争批判に便乗しなかった事も、モラリッシュに潔癖な、しかしあくまでも処世の術である。が、保田はここで、自分が発見した思想、戦後徹底的に傷つき、否定された思想を、今こそ改めて守るのだと言っているのである。

この違いは大きい。

＊

保田與重郎は昭和十七（一九四二）年、大東亜戦争勃発直後に刊行された大著『萬葉集の精神』の中で、次のように書いている。

古典復興の肝要の眼目は、アララギ風な文藝学的美学を排し、国文学者的の文藝学を排し、さらに今日の古典を利用する日本主義的論理を、これも又文明開化の一遺物として批判するところに発生するのである。（全集版六二一頁）

保田は当時の――そして今もなお継続する――近代的な萬葉集理解を全面的に否定している。その批判の核心は近代文藝学やアララギが、萬葉集によって「国の心の一つに凝り固まらうとするものを、人の個人個人に分たうとした」（二六頁）点にあった。

「国の心の一つに凝り固まらうとする」、それが「大君の思想」であり、萬葉集は全体として、そうした国の心の一つを全体として表現している。それを一人一人の歌に分解して、個性的な才人らによる優れた歌が沢山採録されている集と見ては駄目だと、保田はいう。

これは、現代の文藝理解を少し離れて、例えば、大東亜戦争の英霊の遺文をどう読むかというような側から発想すれば、分り難い話ではあるまい。英霊の遺文は、靖国神社が、長年にわたり、散華した英霊達の遺書を編纂して今に至っているが、誰も、それを近代文藝学によって解しはしない。では、文藝としての感銘はないのか。それどころの段ではない。どんな文学作品によっても受け得ない感銘に、私達はしばしば圧倒され、打たれ、涙咽び、読み進む事さえ容易でないのは、読む人の誰も知る処だろう。ドキュメンタリーだからであって、言語表現としての感動ではないというのは意味をなさない。有間皇子や大津皇子の哀歌はどうなるのか。人麻呂挽歌の感銘、防人の歌の、言葉の力と歌の背後にある事実とは切り離し得るのか。英霊の遺文においても、国の危機に際して「国の心の一つに凝り固まらうとするもの」が、あらゆる若者や残された家族らによって、個人の表出意図などという雑味を全く超えた言葉の力となって、じかに私達を打つ。こうした感銘を、個々人の言葉の語釈に還しても意味はない。萬葉集において、個々の歌人を尊び、味わうのが悪い筈はない。が、それを本当に理解するには、まず「国の心」が実在する、そちらの方を丸ごと受け入れてからでなければ本当に読めた事にはならない、いわば保田はそう言っているのである。

それに対して、アララギ的萬葉理解は、戦後の主流となり、近年の中西進（なかにしすすむ）氏に集大成されるような、ヒューマニズム乃至は大河ドラマ風の萬葉理解に至っている。萬葉人も現代人も同じ人間だとして、現代のヒューマニズムに萬葉集の側を引き寄せる読み方である。

保田は、そのような現代人の文藝感覚による萬葉集の理解を、強く拒む。

萬葉集が編まれ始めた時代は、聖武天皇によって仏教国家への道が決定的になった時であった。藤原氏が旧来の貴族秩序を解体して、光明皇后（こうみょうこうごう）以後、皇室の外戚となって権力を独占する決定的な一歩を踏み出した時でもある。藤原氏が代表する文化は、東大寺的な仏教文化であり懐風藻（かいふうそう）に始まる漢詩文化だった。

一方、編纂の中心にあったと考えられる大伴家は、古事記によれば、天孫降臨の時に天孫の露払いをした天忍日命（あめのおしひのみこと）の子孫であり、以来皇家にとって、最大の武門であり藩屛（はんぺい）だった。物部氏亡き後、並ぶ者ない名家である。そして、正に今、藤原氏による専横によって急激に没落する最中にあった。その大伴氏が、萬葉集を編んだ。無論、家持は、藤原氏との政治的確執を和歌編纂に持ち込んだ訳ではない。そうではなく、そうした次元とは異質の場所に「日本」を紡ごうとした。その家持が紡いだ「日本」の全体像を、保田は、編纂者に己を重ね合わせながら、読み解いてゆこうとするのである。

漢文による『日本書紀』とは別に、あえて国語そのものを残す為に『古事記』の編纂を命じられたところに、天武天皇（てんむてんのう）における「日本の自覚」があったように、それから八十年余り後、家持ら萬葉集の編纂者らにもまた、明らかな「日本の自覚」があった、保田はその重大さを言う。

なぜか。

萬葉集が、歴史上、異様に孤立した文献だからである。

萬葉集が編まれた当時、和歌そのものは、既に日本全体で身分差を越えて育ち続けていた。採録されている東歌や庶民による多くの無名歌を見れば、それは明らかであろう。だが、それを表記する書き言葉は存在しなかったのである。その問題との悪戦苦闘が、いうまでもなく萬葉仮名である。が、国語表記の成立と普及は、萬葉集を起点に順調に成熟していった訳ではない。この後、宮廷＝知識社会では、長く漢文の時代が続くからである。国語表記が文学史の表面に仮名の成立を伴って浮上するのは、萬葉集から百五十年も後の古今集によってであった。後に生じた国文学の黄金時代から振り返れば、萬葉集はそれに先行する偉大な先蹤（せんしょう）という風にも見えよう、が、国語表記も和歌伝統も、後に続く保証はなかったという側に意を留めれば、萬葉集の見え方も変ってくるだろう。

知識階級が漢文から脱せたのは、藤原専制の中、漢文の実力が官途における出世を保障しなくなり、非藤原家の男性貴族達が国風の側に強く傾斜したからだが、和歌が宮廷女性によって、恋愛の上での必須の素養として育ち続けていなければ、彼らが帰る場所は、消えていたであろう。もしそうなっていたら、萬葉集一つで国語の文學史は消えてしまい、男性貴族達によって日本文化は完全に支那の従属文化に堕していたかもしれないのである。

近代文献学的な萬葉成立史も、茂吉以来の古代の秀歌集という見方も、この孤絶した状況でなぜ萬葉集が成立し得たのかを問おうとしない。

が、保田は執拗にこの問いを問い続けた。

なぜ、このような孤立した所に萬葉集が成立し得たのか、それは余程強い契機、強い成立への意志がなければ不可能だったのではないのか。その成立の「意志」とは何か——これが保田の問いであった。

保田も多くの萬葉論と同様、まずは柿本人麻呂の偉大さから出発する。

が、理解の根本が異なる。

保田によれば、人麻呂は日本固有の文明と精神の衰退を意識しながら「慟哭の悲歌」を述べた歌人だった。

その意味で、人麻呂の頂点は、保田によれば、壬申の乱についての詠歌にある。壬申の乱は、天智天皇崩御の後、天智天皇の皇子である大友皇子と弟の大海人皇子の間で戦われた皇位継承戦争だ。日本書紀は事細かにこの戦を記録しているが、人麻呂は壬申の乱において大きな勲を立てた天武天皇の長子、高市皇子の薨じられた時に挽歌を歌いこれを悼んでいる。「かけまくも忌々しきかも　言はまくも　あやに畏き」に始まる萬葉集で最長の長歌である（巻二、一九九）。

保田によれば、この長歌こそは、萬葉集の性質を決定づけるものだった。日本書紀では表現の端々に、天武朝の正統性を言うための文飾が見られる。古代の皇位継承は父子よりも兄弟間の継承を優先する時代が続き、安定した父子継承が主となるのは南北朝時代以降だから、大友皇子と大海人皇子の間に対立が生じたのは致し方なかったとも言えるが、日本書紀が大友皇子を「凶徒」と呼ぶとなると、話は別になるだろう。

それに対して、保田は、人麻呂の長歌が、決して逆徒と正統という図式を用いずに壬申の乱を詠い上げている事に着目する。

今の人の意識せぬ深い心の嘆きと記憶とを、古代の深い意識を通じて言はうとしたのであ

る。日本の悲劇の深淵にあった人倫を詠ひ上げた。(全集三五頁)

天智天皇は大陸の文明力を重んぜられた。大化の改新による権力の集中も、半島経営の切迫に由来すると考えられる。最終的には、白村江で唐・新羅連合軍に大敗し、半島から撤退すると共に、国土防衛を固め、一層の中央集権化を図らねばならなくなった。その意味で、いわば幕末と類似する課題を持っておられたのが天智天皇である。

一方、天武天皇は、壬申の乱で、伊勢にまず参詣された。戦の間もしばしば神事を行いながら戦いを進められたことが書紀に明らかである。その意味で天武天皇の勝利は、神武東征の道を踏み、神意によるものだった、書紀の意図するところはそう取れる。

ところが戦が終わって政権を樹立してみれば、現実には仏教文明を多く取り入れ、律令国家化は進み、史上初の支那風の都城型首都である藤原京の造営が進む。惟神の道に発しながらも、政権としては外来文明の大規模な輸入を寧ろ積極的に推進したのが天武天皇であられた。これは明治天皇の運命と重なるであろう。

白村江戦、壬申の乱と続く国家滅亡の危機にある時、それをどう歴史に記録し、言葉に定着するか。実は、その事自体が、国のその後の運命に大きく影響しかねなかった筈である。万一、壬申の乱を契機に、天智天武両統の間での正統争いが始まっていたら、日本の歴史は絶えず天皇家の内紛によって乱れてゆく事になっただろう。外来文明にまみれながら、本筋を見失い、世界通例の王朝滅亡の歴史を辿ったかもしれない。日本書紀にその方向への歴史語りの懸念が多少なりともなかったとは言えない。それを、人麻呂の詠歌は、大君のしらす日本を歌いあげる神詠に徹して外来文明の臭気を排し、しかも内乱を描いても敵対や分離を示さなかった。あくまで「国の心の一つに凝り固まらうとする」相から壬申の乱を描いたのである。

萬葉集が、人麻呂を中心として、政治力学や大義名分論とは別の倫理――尊王により国一つに溶けあう根本――に立ち、敗北者らをも鎮魂しつつ、歴史を歌で紡いだ事によって、いわば日本の歴史が救われ、皇室の純粋性が救われた、保田はそう萬葉集を解する。

が、その人麻呂の歌を漢文化全盛期に救い出すことがなければ、この試みもまた歴史の藻屑と消えかねなかった。

それを自覚的に引き受けた者こそが家持であったというのが、保田の見立てである。

＊

人麻呂が神の如くに詠(うた)つたものと、家持が詩人として詠つたものを比べ、我らの凡愚を考へて、今日の日に於いても家持の道を典型としたい。実際に家持は、人麻呂が示した神の道

を、人間として模倣し始めて、そして、限りなく神に近づいた。（全集九七頁）

保田與重郎の萬葉観は、端的に、これに尽きる。

柿本人麻呂の「丈夫ぶり」に萬葉集の本質を見て、その模倣を主張した正岡子規から齋藤茂吉（さいとうもきち）に至る近代歌論の否定であった。

人麻呂が歌聖とされた歴史は長いが、実際の詠歌の標準は千年の間、古今和歌集であった。子規が、その長年の規範である紀貫之（きのつらゆき）を「下手な歌詠み」と断じて価値転換を図った後、とりわけ茂吉の強い主導により、近代短歌は、範を人麻呂に求める事になる。

そうした貫之から人麻呂へという価値規範の転換に対して、保田は、あえて、家持を打ち出したのである。

人麻呂の模倣は無理である。それは「神の如くに詠える」だけの国語と民族の、最盛期の力の溢れであって、批評も模倣も越えたものだからである。が、家持ならばそうは言えない。彼自らが既に模倣者であった。人麻呂ら先人を意識して模倣する事で、詠歌に反省を導入し、「萬葉集を収めて、後の太平の王朝歌風、千年の開祖となった」人なのである。

いや、この見方では、王朝歌風、千年の開祖を貫之から家持に置き換えただけではないか、いずれにせよ、家持は萬葉調から王朝歌への、過渡的な詩人に過ぎない事に変りないのではないか？

　違うのである。

　貫之が古今和歌集を編んだ時、それは既に典型であった。

和歌が、平安王朝の限定された世界の中で、既に典雅な美意識を確立した安定の中で、貫之は古今集を編んだ。

　保田は、子規やアララギのように古今集を貶めたりはしない。が、古今集が典型としての「美」となった時、和歌は大きな落し物をした、少なくとも主流としては以後、詠歌の根本を長く忘れてしまったと見た。それは、決して、古今集が定型に陥没する事によって、歌のリアリズムを喪(うしな)ったというありふれた話ではない。日本の美学の歴史は、貫之以後、俊成、定家、世阿弥(ぜあみ)、宗祇(そうぎ)、芭蕉(ばしょう)ら実作の天才の模倣と自覚の系譜でもあるが、保田は、家持を持ち出す事で、そうした美学に、別の基準を置き換えようとしたのではなかった。

　保田によれば、美学の洗練の中で喪われたのは「述志」だった。文字通り志を述べる事である。では、日本人の「述志」の本質は何か、それこそが「大君の思想」ではないか。そして、過渡期の詩人、感傷の歌人とされてきた大伴家持こそは、実は、述志としての詠歌という本質をはっきりと自覚し、その自覚が成立させたものが萬葉集だと、保田は言うのである。

　成立した後の萬葉集からどんな美学を引き出す事も、豊富な人間感情を楽しむ事も、人はできる。が、そもそも、その世界を成立させ得たのは、「大君の思想」を自覚した家持の志だった。美学よりも、成立させた志の方こそが大事なのだ、それがなければ成立し得ない契機こそが、萬葉集の力の源泉である筈だからだ。

保田はそれを繰り返し言うのである。

だが、家持の志は、端的に「悲痛」なものであった。

> 人麻呂、赤人、憶良といふ形の系譜こそ、我らの国の文学の血脈の高貴にして悲痛な性格を示すものである。ここに伝統の果敢な起承転結の理を悟るべきである。この血脈の示す思想こそ、萬葉集の精神であり、また集の示す国史観である。(略)末期的な時代の中で、自国語の尊厳を貫くといふことは、萬葉集の至る所に見られる一つの悲願であつた。しかし、家持はその回想と自覚によつて、赤人も憶良も知らなかつた激しいものを身に覚えたのである。それは偉大といふよりも悲痛であつた。(同三一五頁)

なぜ「悲痛」だったのか。

家持の時代、天平時代には、既に、日本の神々とその裔(えい)としての皇統を寿ぐ「大君の思想」も、それを詠う事も、仏教の隆盛と、藤原氏の権力簒奪に対する、必敗の、しかも危険な抵抗を意味していたからである。

政治的には、この抵抗の系譜は、蘇我の崇仏と争った物部守屋(もののべのもりや)以来、大化の改新の後、藤原鎌足(ふじわらのかまたり)による近代化路線に抗して殺された蘇我石川麻呂(そがのいしかわまろ)、反藤原の拠点となる有力皇族として謀殺された長屋王(ながやおう)――謀殺の直後、史上初めて民間の藤原氏から光明皇后が立后する――として現れる。家持の生年は養老二（七一八）年頃だが、その生涯は、この長屋王の変と光明子立后（七二九）、藤原四兄弟の天然痘死での藤原劣勢（天平九、七三七）、光明皇后を盾にした藤原仲麻呂(ふじわらのなかまろ)の専横の始まり（天平勝宝元、七四九）、聖武上皇(しょうむじょうこう)崩御後、反藤原勢の大弾圧（天平宝字元、七五七）と、政変に覆われ、萬葉集に採録されている家持最後の歌は一族崩壊後の天平宝字三（七五九）年のものだ。

大伴氏は、記紀によれば天孫瓊瓊杵尊(てんそんににぎのみこと)と共にこれを守って天降った神祖を持つ、当時最古の名門であり、家持はかなり早い段階でその氏の長者だったと推測される。藤原専断への対抗軸だった橘諸兄(たちばなのもろえ)と最も近く、政治の渦中で、反藤原の有力者になるのは、寧ろ自然であったろう。既に先代で降下した政界での地歩は、家持時代、更に急落を続けていたのである。

ところが、家持は、権力闘争の渦中に身を置かなかった。

彼は能吏(のうり)として身を処す一方、歌を詠んだ。歌を詠み、また、様々に伝わる諸家の歌を収集する日々を送った。二十代までの歌の多くは女と交わした相聞(そうもん)だが、その頃は橘―大伴氏派にとっては最も穏やかな恵まれた日々だったから、それも当然であろう。そこに見られる色調は感傷と躊躇――燃えるような恋情は女からで、彼は専ら倦怠の中でそれを受け流している。世評通りの家持像と言えようか。

その家持の歌に、「悲痛」な自覚が初めて現れるのは、天平十六（七四四）年、安積親王に寄せた挽歌六首からである。

安積親王は十七歳で薨去した。薄幸の皇子であった。聖武天皇の唯一の皇子だったが、皇子を差し置き、光明皇后の女皇子である阿倍内親王（後の孝謙・称徳天皇）が立太子されたからである。男系を中継する為の女性天皇はあっても、史上、女性の立太子は他に例がない。結果として、この女帝の時代に、藤原仲麻呂や道鏡ら、皇室を横領しようとする野心家が専横した事は、今日もなお教訓とするに足りるであろう。安積親王の薨去は難波行幸の途次の急死であった。その死が本当に病死か毒殺かに定説はないが、皇子が政治的な敗者だった事は、間違いない。

その意味で、家持が安積親王への挽歌を六首も奉ったのは、大胆だったと言えるであろう。宮廷歌人だった人麻呂が持統朝時代に天武系の皇子を挽歌に歌ったのとは、話が全く違うからである。

大伴の　名に負ふ靫帯びて　万代に　頼みし心　いづくか寄せむ（巻三　四八〇）

家持の立場を考えれば無謀な歌ではあるまいか。

外戚の干渉で立太子を外された、復権の見込みの乏しい皇子に捧げて「万代に　頼みし心」と詠んでいる。しかもその人さえ既に亡いのである。「いづくか寄せむ」となれば、これはもう皇太子を盾にした権力への明白な抵抗である。この挽歌を秘したとも思えない。保田が、ここに、「悲痛」な自覚の決定的な端緒を見たのは、慧眼（けいがん）だった。

家持はその二年後、越中守に任ぜられる。既に二十九歳に達した名家の家長としては、順調な昇進とは思えない。結果として五年の長い赴任となった。この頃、聖武天皇は、東大寺、国分寺の造営と大仏建立を発願されており、家持も赴任先で、造営推進に精励し、歌人としても、奈良を離れて清新な境地を見出したとされる。が、保田は、寧ろ、僻地での隔絶した生活の中で、反時代精神としての武門の自覚、「大君の思想」の自覚を、家持が深めたと見る。

それが極まったのが、天平勝宝元（七四九）年、「陸奥の国より金を出せる詔書を賀く歌一首」という、人麻呂以来の壮大な長歌である。陸奥の国から黄金が出土し、その為、金箔の不足で難渋していた大仏完成の目処が立った。その折、聖武天皇の出された宣命（せんみょう）に大伴氏への懇切な信頼と激励が含まれていた。天皇への敬慕（けいぼ）厚い家持は、感激を以てそれに奉答したのである。

だが、この詔勅（しょうちょく）は、国学において多年嘆かれてきたものだ。聖武天皇の仏教信奉が極に達した余り、冒頭に「三宝の奴と仕へ奉れる天皇」とあるからである。

ところが、それに対する家持の奉答は、聖武帝の治績を寿ぎながらも、仏教隆盛を全く歌わず、「大君の思想」と大伴の武門の自覚のみを高らかに詠み込んだ、極めて特異なものだった。「海ゆかば」の一節はこの歌のものだが、歌は冒頭から人麻呂に範をとった大君への賛に始まり、調べは雄渾だ。

葦原の　瑞穂の国を　天くだり　知らしめしける　すめろきの　神の命の　御代重ね　天の日継と　知らし来る　君の御代御代　敷きませる　四方の国には……（巻一八　四〇九四）

驚くべき事に、大君への賛をこうして歌い込みながら、家持は、肝心の大仏建造については「善き事を　始めたまひ」と淡く言い流すだけなのである。黄金の出土への寿ぎはあるが、大仏にも東大寺にも、三宝にも、長大な歌の中で、一言の言及さえない。

それどころではない。

萬葉集歌人は一人として東大寺に於ける数々の国家的祭典を歌つてゐないのである。それ

を歌はなかつたか、家持が記録しなかつたか。（全集三六〇頁）

東大寺の造営、大仏建立は、当時最大の政治的・社会的慶事である。時の帝が、皇后、藤原氏、有力僧侶らと共に国力をあげて取り組み、家持自身も国守として果たしてきた仏教統治の痕跡を、自歌で全く取り上げないのみか、関連する歌を採録さえしていない。

保田は「この作あつて後、彼の歌心の境涯も一変し、その詩心の美しさは栄達を担ふ俗世の人を思はせぬ、透明の優美に入つた」と見た。越中赴任ではなく、この長歌に、歌人としての転機を見るのは異例の家持観だが、そこに含まれる政治的決断の重さを考えれば、この保田の見立ては充分理にかなっているというべきだろう。こうもはっきり時流を否定した時、家持の中で「栄達を担ふ俗世の人」たる事への断念は、既に覚悟の上だったと見るのが自然だからである。

新しい政治・文化状況を認めない。が、政治陰謀には加担しない。認めない事を、人麻呂以来の歌の伝統を継ぐ事で証立てる。——これが家持の覚悟だったと見ていい。だが、それは所詮、政治的な敗北を、文学で粉飾したに過ぎないのではないのか。その自問自答が家持になかった筈も、またない。この歌の頃は、橘派対藤原派の暗々裏の闘いにまだ決着は付いていない。そうした中で、大伴の家長が政争に加わるか否かは、事の帰趨を左右し得たかもしれない。家持の身の処し方で政争は有利に運ばれたかもしれない。そうした際どい時期に、あえて政治と一線を画しながらの述志など、逃げではないのかという事を、武門の長たる家持が考えなかった筈はないだろう。

その勘案の重さが、この歌の重さなのである。

その全重量が、家持をして、人麻呂の神詠を継ぐ力量を得させ、家持が人麻呂を継ぐ自覚を長歌に結晶させ得た時、保田の言う「大君の思想」が成立したのである。

人麻呂がどんなに雄渾な賛歌を歌っても、それで終われば、優れた大君の歌が過去にあったというだけの話に過ぎない。それを家持が、半世紀を隔てて、同じ丈の高さで歌おうと志した時に、「大君の歌」は、系譜となり、持続となるのである。その時、「大君の歌」は、傑出した天才の孤立した表現から「大君の思想」へと化する。こうして「大君の思想」という持続する正統が、辛くも一筋の水脈として樹立される事になったのだ。

一般に、家持の長歌は「人麻呂・赤人・憶良等先人の糟糠を舐めるばかりで、凡庸」（山本健吉）とされる。だが、家持は、近代藝術的な意味で、先行する天才を模倣したのではない。既に時流の中に消えかかっていた長歌で大君を寿ぎ、天孫以来の武門の誉れを詠うという、甚だしい時代錯誤をあえて敢行する事で、敗北しつつあった思想を継ごうとしたのだ。そしてこの一筋こそが、後鳥羽院、後醍醐帝、更に国学から幕末の志士の精神史を準備したのはいうまでもない。

だからこそ、その継承の真正を保証するものは、家持の歌境しかなかった。保田が言うところの、脱俗した「透明の優美」である。「大君の思想」は、政治闘争でも、権力の代用としての政治言語でもない。それは、血統と言霊との協働の中にしかない。さもなければ絶えざる政治の野に吹き晒され、イデオロギーと化して、暴力となるか、用済みになれば捨てられる他はないであろう。保田が『萬葉集の精神』を書いていた昭和十年代、そういう意味での「大君の思想」ならば、幾らでも時代を風靡していたのである。

しかし、そこに、次のような一掬の絶美はあったであろうか。

春の苑　くれなゐにはふ　桃の花　下照る道に　出で立つ少女
春の野に　霞たなびき　うらがなし　この夕かげに　鶯鳴くも
わが宿の　いささ群竹　吹く風の　音のかそけき　この夕へかも
うらうらに　照れる春日に　ひばりあがり　心悲しも　独りし思へば
（巻一九　四一三九、四二九〇—四二九二）

これらが家持のみならず、日本を代表する名歌だという事については、近代以後の評釈の多くが一致している事だから、私が今註するには及ばないであろう。春の苑の歌に、絵画的詠歌の始まりを見るのも、後の三首に新古今の細みの先駆を見るのも通説である。「うららに」の歌が詩経の「出車」に材を取っている事は早く契沖が指摘して以来、よく知られているが、「出車」が、匈奴の侵入による戦乱を治めた後の平和の風景を詠っている事から、この歌を、藤原仲麻呂専断への嘆きを橘諸兄に詠みかけたと解されている。註に「悽惆」という強い慨嘆の語がある事も踏まえての優れた見識だが、私は、寧ろ、政治を放擲した自由をこの歌に感じて来た歴代の注釈の主流にここでは従っておこう。後にも先にもないこの人の歌の優美と有愁を疑う訳にはゆかない。家持の歌には、風景の中にいつもこの人自身の孤影が漂う。ひばりのあがるのを見て「心悲しも」と歎ずる時の、人の無心がこの歌には流れている。こういう歌は政治を離れて読みたいと願うのも、政治に詩心を寸断され続けて久しい、私自身の「悽惆」の反映かもしれないが……。

だが、家持が、この優美で孤絶した歌境に達した時、彼はその境涯に隠遁したわけではなかった。

彼が採集、指導した防人の歌がそれを示している。

勇壮を極める次のような歌がある。

今日よりは　顧みなくて大君の　醜の御楯と　出で立つ我は

（巻二〇　四三七三）

一方、防人の歌の多くが、別れを惜しむ歌、残してきた妻子、親を思う歌である事は、よく知られているだろう。

我が母の　袖もち撫でて　我がからに　泣きし心を　忘らえぬかも

（巻二〇　四三五六）

大君の　命畏み　出で来れば　我に取り付きて　言ひし子なはも

（巻二〇　四三五八）

あの頃の庶民が主として関東以北から徴兵され、筑紫へと千数百キロを移動する、それは多くの場合、死別の覚悟を伴ったであろう。別離の悲しみと生活の不安は尋常でなかったに違いない。それにもかかわらず驚くのは、歌の調べの、率直な立派さだ。惨めで矮小でけち臭い歌がない。詠歌指導もあったであろう。だが、措辞（そじ）に拙い詠は幾らでもあるのに、けちな歌がない事が何を意味するかは、考えなくてよい事ではあるまい。

当時の庶民に国土意識や国家意識があったとは信じられない。

が、本当にそうだったのか。

家族に向けられた痛切な思いの数々は、国の任に堪える事への覚悟に裏付けられている。素朴ではあるが、受動的で弱く卑小で自他の認識さえないような原始なものは、どう見てもここにはない。やまと言葉によってよく己を見、時代を見ているこれらの歌の姿を真直ぐに受け取れば、支那大陸の庶民とは全く違う「大君の国民」が既に出現していたと見る他ないのではあるまいか。

大東亜戦争での兵士と家族らによる無数の遺文が示す日本人の言葉の姿が、千二百年前の防人の歌に、より素朴に、だがしっかりと示されている。なぜ当時既にそうだったか、それは私には分らない、が、歌の姿は事実である。それを家持が同情を以て拾いあげたのも事実である。

そして保田は、支那事変から大東亜戦争時にこうした大伴家持像の発見を書きながら、自らを家持の後継者に、恐らく擬していたのである。


家持は防人たちの真実に大君の命を畏む志を憐れみつつ、さういふもので描かれてゐる国の歴史と別のところに、正に頂点に達した藤原氏の陰謀の政治を考へた。防人たちは何も知らないのである。さうして家持の地位から情勢を見る時、国の政治の歴史は彼らの尊敬すべき純粋の献身と別のところで描かれていき、変つていくやうにも見えた。そこで彼は絶大な責任を味はつたのである。この恐るべき自覚から、国の柱となり神と民との中間の柱になるものは、彼の他になかつた。（全集四四三頁）

これが、家持の長歌同様、根底的な同時代の「政治」への異議であり、また、自らが「恐るべき自覚から、国の柱となり神と民との中間の柱になる」覚悟なければ書けぬ文である事は明らかだろう。保田は萬葉集を解いたのではなく、自らの言葉で同じ道を踏もうとしたのである。保田自身が現に経験していた、日本の更に巨きな亡びの自覚が、それを彼に強いたからだ。

それは、大東亜戦争そのものだけを指すのではない。

戦闘は終結して久しいが、あの戦争を本当に戦った人には判っていた真の戦いは全く終らぬまま、「国の柱となり神と民との中間の柱になる」覚悟のない七十五年が過ぎ、我々は亡びの過程を今も下降し続けている。

萬葉集は決して過去の詩華集などではないというような言葉が、一体今、誰に届くのかを怪しみながら、ひとまず、私は筆を措く。

闘わぬという病——新・東京裁判論

東京裁判について、真っ当な裁判ではなく復讐裁判だったという認識は、この二十年程の間、日本国民の間にかなり浸透してきたと言っていいだろう。

江藤淳の先駆的な占領政策研究、小堀桂一郎（こぼりけいいちろう）氏を中心とした東京裁判却下未提出弁護側資料の丁寧な発掘が、東京裁判についての正しい理解を促す基盤となった。これらの慧眼（けいがん）、基礎研究としての確かさがなければ、歴史にべっとりと張られた戦争犯罪史観を取り除く事は、誰にも到底不可能だったであろう。今となっては、こうした基盤の上に立った類書は無数に書かれ、様々な保守派の論客が東京裁判の不当性を語り続け、書き続けている。

これらの業績は充分多とした上で、それでもなお、私は敢えて問いたい。もしその通りだとして、不当な裁判を、なぜ、私達日本人はあの時、許したのか。

真っ当な裁判ではなく、復讐のための私刑に過ぎなかった事は、当初から明らかだったのではなかったのか。

東京裁判をＧＨＱによる不当な復讐裁判だと告発するのはいい、が、半世紀後、七十年後になって幾ら懸命に裁判の不当を糾弾したとしても、では糾弾する私の、我々の「敵」は一体どこにいるのか。

現在のアメリカ人に対して、激しく、身を挺して詰め寄り、「君は敵だ、今からあの不当な復讐裁判への復讐を、君に対して私はなすであろう」と面前で糾弾した東京裁判批判論者を、私は一人も知らないのである。

私には事態は異なった様相を呈して見えている。

私は、敢えて、東京裁判を引き受けようと思う、私達自身が本当に克服しなければならない自らの病としての東京裁判を。

小論は、そのささやかな試みである。

＊

連合国軍最高司令官ダグラス・マッカーサー米陸軍元帥は、昭和二十（一九四五）年八月三十日午後二時五分、神奈川県厚木にある日本海軍飛行場に到着、投宿先の横浜ニューグランドホテルに直行し、同日夜、最初の命令を発令した。

情報部長エリオット・ソープ准将に対する、東条英機（とうじょうひでき）逮捕の命令である。

だが、命を受けた情報部長エリオット・ソープ准将は、違和感を覚えた。情報部の職務は敵側情報活動一般の封止と情報戦略の執行の筈である、それがなぜ、最初の任務に戦争犯罪人の逮捕が来るのか。

それに対してマッカーサーは次のように語ったという。

これから戦争犯罪人を裁く連合国の法廷が設けられる。ナチス・ドイツの戦犯裁判の準備は既に進んでいるが、そこでは、従来の戦時国際法の違反者のみならず、政治的な戦争犯罪人をも裁く事が考えられている。日本におけるそうした新種の戦争犯罪者リストを上げるならば、その筆頭は東条であろう。だから、速やかに東条を逮捕すると共に、ただちに戦争犯罪者のリストを作成して欲しい――。

研究が進んだ今もなお、依然として優れた史書として私の愛読してきた児島襄（こじまのぼる）の『東京裁判』によれば、命令を受けたソープ准将はこの命令を聞き、次のように考えたという。

敵として見た場合東条をはじめ、怒りや正義その他の理由だけで即座に射殺したい軍の連中がいたことは確かである。しかしそうせずに、日本人に損害を受けて怒りに燃える偏見に満ちた連合国軍の法廷で裁くのは、寧ろ偽善的ではないか。戦争を国策の手段とした罪だなどとは、戦後に作り出されたものであり、リンチ裁判用の事後法としか思えなかった。（『東

京裁判　上』〈中央公論新社〉一八頁）

いうまでもなく、マッカーサーは生粋の軍人である。その人が、ソープがただちに感じたいかがわしさを、自らの命令に自覚していなかったとは考えられないであろう。つまりこういう事だ、東京裁判が復讐裁判だというのは、後から出てきた見方などではない、マッカーサー自身の自覚的な腹積もりだったのであり、その命令を最初に聞いた米軍人が、瞬時に直観した事だったのである。

寧ろ、問われるべきは、アメリカを始め連合国側でも、軍人や国際法の専門家から異議が出ておかしくない政治的戦争犯罪人の逮捕を、マッカーサーが敢えて急いだ理由の方であろう。

日本における天皇神聖という概念は軍部によって軍自体の目的のために作りあげられた神話である。この神話を維持するのは軍の不敗という伝統である。日本陸海軍が全勝を続けることができてのみ、天皇は神でいられる。従って日本の軍事力の完全な崩壊は、天皇神聖の概念の崩壊となりうる。

牙を抜かれた狼はもはや狼でなくなる。が抜いた牙を目の前に置いておけば、また牙が欲しくなるかも知れない。だから抜いた牙を叩き潰して見せてやるが良い。（同前二〇頁）

激しい言葉だ。

旧約聖書からシェイクスピアに真っ直ぐ繋がる、敵を破壊する情念を露わにし、我が武士道とは対極にある。残忍なまでの政治的リアリズムである。

しかも、マッカーサーは、天皇神話を軍と結びつけるという根本的な誤解を犯している。

マッカーサーが、この極めて危険な誤解から対日政策を開始した事は、よく覚えておいた方がいい。

なぜなら、マッカーサーのこの誤解を解いた契機は、どう見ても、九月二十七日に行われた昭和天皇との直接の面会だったからである。二人の会談で何が語られたか、マッカーサー回顧録が伝える話は有名だが、あえて引用しておこう。


天皇の話はこうだった。「私は、戦争を遂行するにあたって日本国民が政治、軍事両面で行なったすべての決定と行動に対して、責任を負うべき唯一人の者です。あなたが代表する連合国の裁定に、私自身を委ねるためにここに来ました』——大きな感動が私をゆさぶった。死をともなう責任、それも私の知る限り、明らかに天皇に帰すべきでない責任を、進んで引き受けようとする態度に私は激しい感動をおぼえた。私は、すぐ前にいる天皇が、一人の人

間としても日本で最高の紳士であると思った。」（『マッカーサー回顧録』〈中央公論新社〉）

多くの史家が、この「美談」の信憑性を突き崩そうとしてきたが、現在入手できる証言を全て閲読すれば、信憑性を疑う理由は最早あるまい。私は、会見に随伴した筧素彦行幸主務官の証言だけを引いておく。筧は僅か三十七分の会見前後のマッカーサーの態度の急変を以下のように伝えている。

先刻までは傲然とふん反りかえっているように見えた元帥が、まるで侍従長のような、鞠躬如として、とても申したいように敬虔な態度で、陛下のやや斜めうしろと覚しき位置で現れた。（『今上陛下と母宮貞明皇后』〈日本教文社〉）

「鞠躬如」は『論語』の「郷党」編にあり、孔子が、仕えていた魯君の門を入る時、鞠のように身を屈める有様だった事を言う。マッカーサーの感銘は余程身に徹して、本物だったのであろう。一方昭和天皇ご自身は、マッカーサーとの「男子の約束」であるとして、生涯会見の中身を話されなかった。裏を返せばマッカーサーの証言が事実だったからであろう。

こうした、昭和天皇その人が体現されていたconstitutionのありようが、何か別のものであったなら、天皇伝統は恐らく、マッカーサーの決断により、途切れていた。

この昭和天皇ご自身によるマッカーサーの誤解の解消――実は、これこそ占領日本における、最大の「戦後の戦勝」であったと、私は思う。後で触れるが、東京裁判の全期間を通じ、マッカーサーこそはアメリカ本国や連合国からの、執拗な天皇訴追の圧力を跳ねのけて天皇を守る、最強の盾となったからである。

だが、それは暫く後の話である。

ここでは、それに先立ち、当初マッカーサーが、天皇神話を破壊しようと目論んだ事、その為に軍部という「牙を叩き潰して見せてやろう」とした事に、もう暫く留意されたい。

実際には天皇の神聖性への日本人の思いと軍とは、根深い関係にはなかったが、その神学的誤解を除けば、マッカーサーは日本人をよく見抜いていたと言えるからだ。

抜いた牙を叩き潰したら、日本人は大人しくなるという観察である。

残念ながら、我々日本人には、敗北の後、徹底的に恭順になり、大人しくなってしまう特質、打たれ弱い民族的気質がある。

敗北の後、延々とゲリラ的な抵抗を続ける中国人、ベトナム人、イラン人やイラク人らと較べるべくもなく、日本は正々堂々たる公式の戦では強いが、負けを受け入れた後は徹底して弱い、従順になる、それも敵や新しいイデオロギーに対して余りにも容易に、まるで自ら身を投げ委ねるかのように。

生き方としては綺麗だが、粘れない。

中国人など、正式な戦争は平気で逃げ、平気でごまかす。

しかし、その後にこそ、彼らの勝負は始まる。

他方、私達日本人は、粘着質な生き方を嫌う。

生き方そのものを道としてきた、私達に固有の美学と言っていい。

だが、日本が近代以後、今に至るまで、一皮めくれば、殆ど獣のような残虐性と狡猾さが支配する「世界」の中で生き残る上では、これは余りにも不利な性質、いや、美学を美学として陶冶するのはいいが、生き残る智慧と粘りについては自覚的に鍛錬しなければ、民族として潰滅しかねない危険な性質という他ないのではあるまいか。

いずれにせよ、マッカーサーが日本に上陸して真っ先に着手した事は、情報戦であり、心理戦であった。戦犯逮捕は、法的な問題ではなく、情報戦の最初の一撃であった。だから、情報部長に戦犯逮捕の任務を与えたのである。

日本人は武士のように戦い、武士として負けた。

負けた後に戦いがあるとは思っていなかった。

しかし、マッカーサーは戦後処理をしにきたのではなく、今、ここから真の意味での国家間戦争を仕掛けに来ていたのである。

戦闘が終った後、情報戦争を仕掛ける事が、彼の仕事の本筋だったのである。

日本人には、この感覚がどうしても分らない。

今にそれは変らない。

情報戦略、インテリジェンス、諜報活動、工作、心理戦、洗脳……。なるほど、そうした言葉はこの十年程、読書人や保守層にすっかり馴染みのものになってはいる。

が、感覚は全く身に付いていない。中野学校があり、特務機関――F機関、光機関、南機関らがあって、それでもなお私達は戦後の戦争に負けたのである。今、インテリジェンスという言葉が多少人口に膾炙したところで、この民族的弱点がどうなるものでもあるまい、その自覚がなければ戦後平和主義という御伽噺に続き、リアリズム、情報戦という名の御伽噺が続くだけであろう。

当時の日本側指導者も、戦争の後に、本当の戦争が始まるとは考えてもいなかった。

児島襄は、終戦の二ヶ月程前、元鉄道大臣の内田康哉主催で近衛文麿、岡田啓介、吉田茂、賀屋興宣らが飯を食った時のエピソードを紹介している。

内田康哉から「戦争に負けた暁には、戦犯で捕まってアメリカに連れて行かれるよ」と言われた賀屋元蔵相はこう切り返す。「内田さん、あんたは農林大臣をやってる。腹ごしらえの係をやったんだからあんたも捕まりますよ」。

そして、吉田茂に向かって付け加えた。「しかし真っ先に殺されるのは吉田さんだな。本土決戦の前にまず吉田さんが陸軍に殺され、米軍の上陸、敗戦、そして僕らがアメリカに連れて行かれるという順番ですよ」と。

つまりどういう事か。彼らは敗戦後の厳しい処置は覚悟していた、が、逆に言えば、戦争が終われば、自分達旧指導者が血祭りにあげられ、それで一段落すると思っていたわけである。

無理もないとは言えるであろう。

日本の歴史が、世界史から見るとまことにのんびりしたものだったからである。日本の中枢である天皇家は、平安中期から後、軍事的な自己防衛能力を全く持たずに存続した。逆に言えば、千年間、無防備な天皇を、君主と仰いできたのが我々日本人なのである。

一方、世界史とは、主君殺しの歴史に他ならない。主君殺しが日常的な主題でなければ『ジュリアス・シーザー』も『リチャード二世』も『マクベス』『ハムレット』『リア王』も生まれようがなかったであろう。日本人には、そうした酷薄さに対する、歴史に育まれた感度がない。無防備な天皇を、まるでそうするのが当然であるかのように、軍事政権が皆で守り続けてきた。しかも私達自身、その不思議な来歴の原因を然と知ってはいないのだ。

堂々たる敗北の後には、堂々たる戦後が来、勝者もまた、国際法を尊重し、敗者への武士の情けも持ち合わせているであろう――言葉にはしなくとも、暗黙の内にそうした民族的甘えと油断は抜き難く存していた。アメリカは、それを過敏に感じとった。日本が敗北に打ちひしがれるどころか、敗者の誇りと威厳を持し、大東亜戦争の理念を胸に、新たな世界平和への役割を担うと言わんばかりの「戦後の気勢」を見て、これを心理的に叩き潰す必要を日々痛感するようになったのは当然であった。

最初の命令から十日後、マッカーサーはソープ准将を再び呼び出す。

ソープ、私の命令が十日間も実行されないのは前例のない事件だ。四十八時間以内に、第一次戦争犯罪人リストの提出と、東条将軍逮捕のニュースを期待している。

こうしたアメリカ側の焦慮に対し、日本側はどう迎え撃ったか。日本の憲兵隊の最初の任務は、GHQ本部に八十人の売春婦を送り込む事であった。GHQ内に響く女の嬌声(きょうせい)に驚いたマッカーサーは、ただちに女どもを追い出したという。

甘過ぎて話にならぬが、日本の「平和ボケ」はこの後も続く。

米国民よ、どうか真珠湾は忘れてくださらないか。我々日本人も原子爆弾による惨害を忘れよう。そして全く新しい平和的国家として出発しよう。米国は勝ち、日本は負けた。戦争は終わった。互いに憎しみを去ろう。

九月十六日付け朝日新聞一面に掲載された、東久邇宮稔彦(ひがしくにのみやなるひこ)首相のアメリカへの呼び掛けである。既に縷述したように、戦争は終わっておらず、憎しみはこれから始まるのである。

なぜか。

アメリカにとって、この勝利は薄氷を踏む厳しい勝利だったからである。

日本とアメリカには当時圧倒的な国力差があり、日米戦争は無謀な戦争だったと、しばしば主張されてきた。

が、それは違う。

平時の国力差は必ずしも戦争の勝敗を決しはしない。当時の国際政治上の力学に話を広げてみれば、日米の勝敗は間一髪の差であった。もしも、ドイツが独ソ不可侵条約を戦略的に活用し、冷厳な作戦プランを遂行していれば、フランスのみならずイギリスを下す可能性は高かった。その時、日本が中華民国と速やかに和平し、英仏の植民地の横奪と、資源拠点の確保へと舵を切り、満州経営並みの手腕をここに投入していれば、日本は急拵(きゅうごしら)えの資源大国になっていたであろう。ヨーロッパでドイツがイギリスを破り、機能不全に陥った英仏から日本がアジア覇権を奪う——

どうせ重荷にしかならない中国はソ連に任せて彼を消耗させ、日本が南方・太平洋を押える――そうなれば、日本は、アメリカの大きな脅威となった筈である。もう誰も忘れているが、当時のアメリカは、日米戦争まで大規模な対外戦争を経験した事の一度もない「平和国家」だったのである。

残念ながら、実際の日本指導部には、そうしたグランドデザインはなかった。緒戦半年を除けば、行き当たりばったりの作戦を重ねた。ところが、それにもかかわらず、日本とアメリカは、最後の沖縄戦まで死闘を演じ続けたのであり、マッカーサー自身、二度までも、落命寸前の危機を辛くも切り抜けてきたのではなかったか。

マッカーサーの味わった職業的な屈辱は深刻なものであった。

戦闘停止からたった一ヶ月で、敗者から憎しみを忘れようと対等面(づら)で言われて、マッカーサーは唇を曲げるしかなかったに違いない。

一方、東久邇宮(ひがしくにのみや)首相はこの呼びかけの直後、十月には早くも匙を投げる事になる。皇族出身の自分には民主化を進めるのは難しいという理由からであった。マッカーサーが復讐裁判の遂行のみならず、戦後日本の体制再建を自ら徹底的に主導する決意をしたのは、恐らくこの時である。

読者は、一度思ってみるがいいであろう、もしこの終戦後の大変革期に、西郷隆盛(さいごうたかもり)がおり、勝(かつ)海舟(かいしゅう)、大久保利通(おおくぼとしみち)らがいたらどうであったか。あるいは、伊藤博文(いとうひろぶみ)や原敬(はらたかし)がいたならばどうだったか。

昭和の御代は、政治・軍事指導者の不在と共に始まった。当初の歴代首相を見ても、田中義一、若槻礼次郎、浜口雄幸と、第一級の政治指導者はおらず、幣原喜重郎の微温外交と、軍部による大陸進出とを調整する機能は政治から消滅していた。この指導者不在はその後も続き、昭和二十（一九四五）年八月十五日の日本にも、敗戦後の大国を牽引する難題を引き受け得る変革型の指導者はいなかったのである。遅くとも大正以後、日本は、江戸時代にはあった、指導人材を輩出する国家としての能力を、大日本帝国の大学——任官制度の中で、喪失していたのだ。

終戦処理は、篤実な老軍人である鈴木貫太郎が担い、それを受けて成立したのが東久邇宮内閣、東久邇宮が匙を投げると、継いだのは幣原喜重郎だ。

占領軍に好きにやってくださいと言っているような総理大臣ばかりである。

その後、ようやく吉田茂が登場する。

しかし、吉田は本質的に政治指導者というよりは外交官であった。外交官は駆引きはできても、国家建設はできない。フランス革命期の凄腕の外交官にタレイランがいた。ナポレオン戦争でフランスが大敗を喫した後、タレイランはウィーン会議をフランス優位で纏める。吉田茂が、日米安保条約によって米軍を体の良い日本の傭兵にし、経済復興で勝者になるプランを構想したのは、タレイランを範としているのであろう。

だが、タレイランに、国家建設はできない。革命の混乱を終息させ、国家建設の威信と土台を築いたのは、ナポレオンだったのである。敗戦日本に吉田茂がいた事は不幸中の幸いであった。しかし、国家建設を一身に体現し、精神的な背骨となり得る政治指導者が存在しなかった事実は如何ともし難い。

明治維新と昭和戦後の最大の違いはそこにあろう。

*

話は余談にわたり、一向進まぬが、そろそろ、裁判の経過を辿ってゆきたい。

戦争犯罪、特にナチス・ドイツに対する戦犯の法理的基準について、最初に日本国民が知ったのは、昭和二十（一九四五）年九月十八日付朝日新聞が伝える田口チューリッヒ特派員の電報であった。

田口は、ドイツの戦争犯罪法廷が従来とは全く違う解釈を基礎にしていることを指摘し、従来の戦争犯罪の他に、平和に対する罪、人道に対する罪の二つが加えられていることを報じた。さらに、軍人のみならずリッベントロップ外相やシャハト国立銀行総裁、ローゼンベルグナチス党外交政策部長など、逮捕者が、官僚、財閥、理論家に及んでいる点にも注意を喚起している。

日本側はこれをどう見たか。畑俊六元帥の弁護士だった神崎正義と東京裁判の主任弁護士清瀬一郎は、当初から次のような認識に達していた。

「戦争を起こしたのが犯罪だと言っても、これは国家としての責任でしょう。それを個人の責任として関係者を処罰するのは従来の国際法では考えられない。強いてやるなら国際法の退化になりましょう。」

「その通りですなあ。国内法で戦争責任を問うならまだ分かるが、国際裁判でしかも戦勝国が敗戦国の責任者を裁くというのは、法律的には馬鹿げた話になりますよ。」(『東京裁判上』〈中央公論新社〉)

つまり、アメリカのソープ准将のみならず、日本側の法律家が見ても、東京裁判は始まる前から「馬鹿げた話」だったのである。

「馬鹿げた話」である事を、日米の専門家が、それぞれに了解していながら、事態はなし崩しに進んでゆく。

十二月二日には五十九名の戦犯逮捕命令が出た。

国民の衝撃は大きかった。陸海軍の指導者のみならず、平沼騏一郎、廣田弘毅元首相ら文官、更には皇族である梨本宮守正王までもが戦犯に指名されたからである。天皇に累が及ぶのではないかとの懸念が、ただちに生じた。

連合国からの裁判官らも急遽日本に参集し始める。

東京裁判は、翌昭和二十一（一九四六）年五月三日、市ヶ谷の旧陸軍士官学校講堂において開廷した。

オーストラリアのウィリアム・ウェッブが裁判長となった。しかし、ウェッブは、裁判に先立ち、本国で日本の残虐行為についての調査を行い、オーストラリア、イギリス政府に報告書を提出している。刑事の役割を演じた人間が裁判長たり得るのか。この情報は、アメリカ人弁護士から主任の清瀬弁護士に伝わり、清瀬は冒頭陳述でその事実を突き付けて、裁判長への忌避動議を提出する。ウェッブは顔面蒼白となって逆上し、休廷を命じた。

裁判そのものは、弁護側の痛撃から始まったのである。

ところがその後の休憩中、日本側の弁護団は一致団結できず、この最も効果的な一撃は、不発に終わる事になる。

十五分の休憩の後、裁判は再開し、ウェッブに代わり裁判長席に座ったエリマ・ノースクロフトは宣言した。この法廷の裁判官はマッカーサー元帥に任命された、故に裁判所としてはどの判事も欠席させることはできないから、清瀬弁護士の動議を却下する、と。アメリカの主席検事ジョセフ・キーナンが裁判官達を恫喝し、そう言わせたのである。

アメリカの検事が公然と裁判官を恫喝し、裁判所自らが、開廷冒頭でマッカーサー支配下の裁判であると認めた――東京裁判は、純粋な司法の場ではなく、占領政策の一環である事を自ら宣して始まったのだ。

こうなれば、最早「馬鹿げた話」などではあるまい。

清瀬は一時間半にわたり、戦勝国がポツダム宣言受諾時に通用していた戦時国際法と関係ない罪を設定して敗戦国を裁く非を論じた。いわゆる裁判管轄権の問題であり、東京裁判をまともに「裁判」として扱おうとするならば、近代法の法理では消化し得ない根本的矛盾について、どんなに拙くとも、理論武装が必要だった筈であろう。現在明らかになっている詳細な史料研究によれば、ウェッブ自身は裁判長として、後世にこの問題が禍根を残すであろう事を相当気に掛けていたようである。

が、実際の裁判は最低限の法理的努力もなされぬまま進んだ。

占領軍にも、裁判所にも、検察にも、「正論」を構築する気も、聞く気も毛頭なかった。何度も言ってきたように、東京裁判は、戦争の遂行であって法の執行ではない、裁判官達の法衣は文字通りこの陰惨な戦争劇の舞台衣装に過ぎなかったのである。

日本人弁護士は優秀だったが、賃金はアメリカの掃除夫並だった。日本政府は米人弁護士も雇ったが、弁護士費用が余りに安い事に驚き、一流どころは皆帰国してしまった。
では、残ったのはどんな連中だったか。
イギリスの新聞記事は次のように伝えている。

米人弁護人は、平均的に見てその社会的地位は口に出し難いほど低く、彼らの教育、経験、法律知識、職業レベル、そして道徳的素質さえも極度に低かった。

中にはいつも飲んだくれているアルコール依存症の「弁護士」までいたという。
東京裁判の帰趨（きすう）は、三百二十万人を犠牲にした戦闘を、どう生かすか、さもなくば、これだけの戦没者の亡骸に鞭打つ事になるという、国家の根幹をなす、死せる者達の尊厳を賭けた決戦場である。しかも、アメリカのみならず、裁判所までも、この裁判が復讐劇に過ぎぬ事を公然と認めているのである。日本の戦争が独伊のそれと如何に違うか、日本がクラウゼヴィッツのいう政治の延長としての通常戦争を如何に正々堂々と戦ったか、逆に、裁くアメリカが原爆投下、大都市空爆で如何に国際法違反を犯したか、それらを勘案すれば東京裁判は如何に不当なものであるか――これらを国際輿論に訴える事そのものが、裁判の実質的な闘争の現場でなければならなかった筈である。

英語圏での発信こそが、決定的な鍵だったはずである。ところが、日本政府は、資金を惜しんで「口に出し難い程」水準の低い米人弁護士しか雇わなかった。

現在、日本の保守派が、東京裁判の不当を幾ら糾弾しても、裁判は既に遠い過去のものだ。その場で唯々諾々と既成事実とされた過去はどうあっても消えないのである。歴史は冷厳である。「正論」を述べて事足れりとする事自体が甘えだ、それがそもそも東京裁判最大の教訓なのではないのか。

話が前後するが、起訴状は開廷に四日先立つ四月二十九日の天長節に被告らに届いている。下卑た遣り口である。

> 本起訴状の言及せる期間に於て日本の対内対外政策は犯罪的軍閥に依り支配せられ且指導せられたり。斯る政策は重大なる世界的紛議及び侵略戦争の原因たると共に、平和愛好諸国民の利益並に日本国民自身の利益の大なる毀損の原因をなせり。

起訴状は、以下、満州事変を更に遡り、日本が、十七年八ヶ月に渡って、いかに国際的非道の限りを尽くしたかを縷々記述している。

その上で、起訴状は主張する。

日本人は、全世界の他の民族よりも優れていると教え込まれ、日本の議会制度にはヒトラーのナチス党、ムッソリーニのファシスト党と同様の組織が導入された。被告二十八人はナチス・ドイツ、イタリアと手を結び、世界の他の国の支配と搾取及び平和に対する罪、戦争犯罪、人道に対する罪を犯すことを共同謀議した。……

一読した被告達は皆、呆れ返った。

荒木貞夫(あらきさだお)は、なんたる野蛮なやつらかと言った。

畑俊六は、戦争が殺人行為なら、連合国も皆殺人罪を犯したことになる、何とバカバカしい事かと言った。

重光葵(しげみつまもる)は、占領軍が二十八名を血祭りにあげる意図が余りに明白となったと見て、まともに相手にする気を喪失した。

だが、「馬鹿げた話」は既に始まっており、裁かれるのは彼らではなく、日本なのである。

では、どうすればよいのか。

嶋田繁太郎(しまだしげたろう)元海軍大臣が統一方針を立てた。

一、日本の立場を明らかにし、国家的見地に立って侵略の汚名を払拭し、後世の誤解をなくすこと、
二、皇室には絶対に累を及ぼさないこと、
三、日本にはドイツの如き一貫した侵略政策は無かったことを明らかにし、また太平洋戦は自衛の戦であったことを立証する。

更に高橋弁護人が二項目をつけ加えた。

一、天皇陛下にご迷惑を掛けないよう協力一致すること、天皇が被告となられることを極力防止するとともに、どんなに個人に利益になる場合でも、天皇に証人としてご出廷いただくということは絶対にやらぬこと。
二、国家弁護を先にして個人弁護を二の次にすること、個人の身の証は立ってもそれによって日本が侵略国と銘打たれるようなことはやらないこと。

個人弁護を二の次にすることについては、異議もあったが、大方針として国家弁護に努め、天皇に絶対に累を及ぼさぬとの共通了解は確立された。

これは日本人の美風であろう。

しかし、行き過ぎれば、それもまた、大局を損なう。

例えば、廣田弘毅である。廣田は、法廷闘争に全く興味を示さなかった。廣田はこの裁判が茶番であると諦観していたが、それ以前に、日本の戦争をも醒めた眼で見ていたからである。だが、廣田が個人としてどのような考えを持とうとも、彼は戦争に責任を持つ国家指導者だったのであり、日本の戦争が馬鹿げたものだろうと、裁判が茶番だろうと、裁かれるのは国家そのものなのである。廣田の諦念は、戦場で戦意を喪失したという事に他ならない。もし他の全被告が廣田同様、老荘的な心境で法廷闘争を諦めたら一体どうなったであろう。天皇に塁が及び、国際法に抵触しない日本の戦争が一方的な犯罪行為とみなされる事になるのは火を見るより明らかではないか。

闘わぬという病——終戦の後、日本人は突如——闇市で生き延び、仕事を手に入れるなどという私生活の為の戦いは別にして——国としての戦い、大義名分の為の戦いの全てをまるで、記憶の機構そのものが消えてしまったかのように、綺麗に忘れてしまう。

GHQの洗脳を、人は言う。

なるほど、その情報戦は巧妙であった。GHQは日本の戦争が犯罪だったとする東京裁判史観を流布すると共に、出版・メディアに対しては極秘で検閲を施し、短時日のうちに、日本人に戦争への罪悪感を植え付けた。

が、本当にそうだったのか。

幾ら軍部が悪かったと吹き込まれたところで、自身を含め、身内や友人、隣人が戦場で戦わなかった日本人など、当時、殆どいなかったであろう。息子の戦った戦、夫の戦った戦、父の戦った戦、甥や叔父の戦った戦、友の戦った戦だったのである。それを敵国から「犯罪」だったと言われて、日本人が、皆、はいそうですかと白旗をあげたとすれば、突如そう思えてしまう民族全員の性向の方が、洗脳の巧妙さなどよりも、よほど問題なのではないのか。

当時の国民こそが、GHQと戦わねばならず、それは出し遅れの証文のような、今になっての批判ではなく、まさにGHQが東京に駐留しているその時に戦われなければならなかったのではないのか。

GHQの下で、それをあからさまに公言することなどできなかったという人がいる。

では聞こう、公言したらどうなったと言うのか。

ソ連を始め共産圏におけるように、ただちに家族・係累(けいるい)・友人皆が処刑されたであろうか。中国共産党がウイグルでなしたように、あらゆる指導者層が情け容赦なく銃殺される事になったであろうか。

そんな事には決してならなかったろう。

戦後の日本人は、惰弱だから戦わなかった、ただそれだけの事だった、私は敢えてそう断言して憚らぬ。

東京裁判は傀儡（かいらい）の被告を贋造した復讐劇という戦争だ、ならば、なぜ、私は米兵を一人でも殺すと誰も言わず、実行しなかったのか。

三百二十万人が死んだ戦争なのである。日本人は駐留したアメリカ人を相手に、なぜ一人一殺のゲリラ戦を展開しなかったのか。

マッカーサーと刺し違えようとする一人が出なかったのか。

これが激しい言葉であるか。

東京は、広島は、長崎は、キリスト教の愛の教えの国、文明の模範を名乗る国、今や人道の名の下に日本を裁くと称して我が首都に君臨している国によって、つい数ヶ月前、蜘蛛の子を散らす余地もない程、皆殺しにされたのではなかったのか。

その事実の、全人類史の顔色をなからしめるほどの激しさの前に、今の私の言葉如き、どこが激語であるか。

いや、誰あろう昭和天皇が戦を止められたのだ、聖旨（せいし）を慮（おもんばか）れば、ゲリラ戦など継続できるはずがないではないか、なるほどそこまでは認めよう。天皇を人質にとられていた、だから黙さざるを得なかった――いや、そちらの言い分は、私は認めない。天皇御自身、真っ先に身を投げ出されたではないか。マッカーサーに単身臨まれ、一身に責を負うと表明された事こそは、戦後の戦いそのものだったのである。その時、生き恥をさらして、臣下達が一体何たる為体（ていたらく）だったのか。

GHQに遠慮して、言うべき事についてさえ口を噤（つぐ）む、まして、公職追放された人々においてをや――。言い訳の余地など微塵もないのだ。この情けなさたるやどうであろう。

インドのパル判事は言う、日本人弁護人は卑屈になり過ぎではないか。検事に反論されるとすぐ引っ込んでしまう。この裁判の姿は四十ヶ国の記者が見ている。主張すべきを主張してこそ、裁判の不公正を記録することができるのになぜそこまで押さないか、と。

パルの忠告に従い、最も果敢に論陣を張ったのは、よく知られているように主任の清瀬一郎であった。

冒頭陳述の最後で、清瀬はこう言っている。

我々がここに求めんとする真理は、一方の当事者が全然正しく、他方が絶対否定であるということではありませぬ。我々は困難ではありますが、しかし公正に、近代戦争が生起した一層深き原因を探求せねばなりません。近代戦悲劇の原因は人種的偏見にあるのであろうか、資源の不平等分配により来るのであろうか、関係政府の単なる誤解に出るのか、裕福なる人民、また不幸なる民族の強欲または貪婪にあるのであろうか。

この清瀬の陳述は、法廷に大きな感銘を与えたが、日本の言論界とマスコミは口を極めて痛罵した。

毎日新聞を引いておこうか。

清瀬の主張は、言うまでもなく現代の日本人の主張ではないことをここに強調したい。皇道、天皇への尊皇思想がすなわちデモクラシーという立論のごとき、もし真にデモクラシーの精神があったとするならば、あのカーキ色の跳梁は一体どう解釈すべきであろうか。

この日本人自身によるGHQへのお追従の一方で、原爆投下を法廷で難じたのは、日本人ではなく米人弁護士であった。日本側では原爆問題を追求するのがタブーと見做されていた。原爆批判が占領軍に対する反抗と解釈されかねないとの懸念からである。

しかも日本側の足並みは、被告人の個別弁護の段階になると、保身によって乱れ始めた。

二・二六事件の影の煽動者で、皇道派の荒木貞夫は、自分の皇道主義は、穏健な奉仕主義だと主張、自分は親米派だとまで言い出し、他の被告達の眉を顰（ひそ）めさせた。

木戸幸一（きどこういち）も「戦時中国民の戦意を破砕することに努力してきました」などと証言して、武藤章（むとうあきら）らの猛烈な憤激を買っている。戦時中に戦意喪失するように国民を導くなど、国家指導者としても天皇の臣としても万死に値するという他はない暴言であろう。

勿論、日米戦争開戦前、戦争を煽動したのは朝日新聞を始めとする新聞であって、軍部を含め、政治指導者らが対米戦を避けたかったのは、事情に詳しい人間なら、誰もが知る事実である。作戦遂行はちぐはぐで、陸海軍間の情報の疎通はなく、政府も正しい戦況を知らされぬまま事態が悪化していった。被告の身に立てば、それぞれに別の被告の不誠実、愚かな戦争指導に怒りを感じる事は多々あったに違いない。しかし、それを敵国の法廷で言い出してどうするのか。

更に、この裁判では、我が国にとって名誉とは言えぬ奇妙な捩れが、終盤になり、顕著になってゆく。

マッカーサーとその意を受けたキーナン検事こそが、東京裁判で昭和天皇を守ったという事実である。

アメリカ本国では、昭和天皇を処刑せよとの輿論は極めて強硬であった。イギリス、フランス、オーストラリアもまた、天皇訴追を強く求めていた。

それらを一貫して拒絶し続けたのはマッカーサーである。

そして、その意を受けたキーナンが、天皇を訴追から守るための白羽の矢を立てたのは、東条英機だった。

米国の主任検事であるキーナンが、日本側の神崎弁護人と打合せを重ねて、東条周囲に接触し、天皇に開戦責任がなく、責任は自分にあるという証言が練られたのである。究極の捩れであろう。

ところが、東条は法廷で別の検察官の質問に応じる中で失言してしまう。

「天皇の意に反してあなたは開戦を決断したのか」と質問され、「日本において天皇の意に反する決断をする人間はいない」と証言したのである。

これでは開戦責任は天皇にあることになる。天皇訴追に法的根拠を与える重大な証言である。

キーナンは蒼白となった。

再び、東条の発言を修正する工作をしたキーナンは、次の法廷で自身が質問に立ち、東条の発言を修正させた。

キーナン「二、三日前、あなたは日本臣民たるものは何人たりとも天皇の命令に従わぬものはないと言いましたが正しいですか。」
東条「それは私の国民感情を申し上げたのです。責任問題とは別です。天皇の責任とは別問題。」
キーナン「しかしあなたは米英オランダに対して戦争をしたではありませんか。」

東条「私の内閣において戦争を決意しました。」

キーナン「ではその戦争を行わなければならないというのは裕仁天皇の意思でありましたか？」

東条「私の進言、統帥部その他の進言によって、渋々ご同意になったというのが事実でしょう。そして平和ご愛好の精神は最後の一瞬に至るまで陛下はご希望を持っておられました。昭和十六年十二月八日のご詔勅の中に、明確にそのご意思の文句が付け加えられております。しかもそれは陛下のご希望によって、政府の責任で入れた言葉である。誠にやむをえざるものあり、朕の意思にあらずという意味のお言葉であります。」

二人は、このやり取りで、天皇訴追の可能性を潰したのだった。

最後に、キーナン検事は質した、日本の首相として戦争を行ったことについて道徳的、法律的に間違っていなかったと思うか、と。

東条は「間違ったことはしていない。正しいことを実行したと思います」と答えた。

キーナンは更に問い掛ける。

「それではもし無罪放免になったら再び繰り返すつもりか――」

それに対してはブルーエット弁護人が異議を叫び、東条は答えなかった。

後で妻にどう答えるつもりだったかを聞かれた東条は言ったという。

もしあくまで答えろというのであればこう答えるつもりだった。もし私に自由を与えられたならば、私は君を含めて全アメリカ人がアメリカを愛する如く日本人として日本を愛するだけであると。

＊

判決については贅言(ぜいげん)を要すまい。

弁護側の主張は全面的に退けられた上、判決は死刑七名を含む、大方の予測を超えた重刑であった。

しかし、ここでも不思議がある。日本に対して猛烈な闘志を見せてきたキーナンが、この判決には憤慨し、なんと馬鹿げた判決か、重光は無罪が至当だし、松井、廣田が死刑などとは全く考えられないと述懐しているのである。

更に不思議なのは、裁判長ウェッブの個人意見である。

そもそもオーストラリアには死刑がない。したがって裁判長自身が、ソ連、フランス、インドと共に、死刑には不同意であった。

その上で、彼の個人意見はこうである。裁判所には、共同謀議を犯罪と認定する権限はない。共同謀議を犯罪にする権限がもし裁判長にあれば、それは裁判官による立法だ――。

複雑な感慨を抱かざるを得ない。

東京裁判は、それを仕掛けたマッカーサーら米軍側が、裁判ではなく復讐と認識した上で始め、終りに、裁判長自らが、この法廷は事後立法に等しい、つまり裁判ではなかったとの見解を表明して閉廷した事になるからだ。

戦後、大きな闇を抱えたのは、敗戦と共に闘わぬ病に罹患した日本だけではなかった。せっかく戦闘において勝利しておきながら、正義の名のもとに法の原則を踏み躙(にじ)り、復讐の情念を正義に置き換え、原爆投下の深い罪科から目をふさいで人道主義の宣布者を僭称したアメリカもまた、人として抱えきれぬ大きな闇を抱えて、戦後の框(かまち)に立ったのだった。

しかも奇妙な捩れは、輻輳(ふくそう)する。

天皇を守る最大の盾はマッカーサーとキーナンだった。天皇を世界の非難から、処刑から守ったのは、よりによって自ら復讐裁判を仕掛けたアメリカだったという事になる。

一方、日本は清瀬一郎を始め、弁護人個別の努力にもかかわらず、足並みが揃わなかった。英語での戦いがまるでできなかった。被告も、東条を除き、国家指導者としての戦後の戦いを充分戦おうとしなかった。

東条は英雄でもなければ、大政治家、大軍人でもない。真面目で神経質な能吏に過ぎないが、当時の指導者にあっては、そういう人物が、結局のところ、一番上等だったことになる。

国民もまた、屈辱的な占領を唯々諾々と許した。

ゲリラ戦も、占領への激しい抗議もなければ、占領後の日本を復活させる国家戦略も不在だった。

最も美しく、国家への責務を果たしたのは、散華して、今はもういない無数、無名の若者達だった。


古来、日本は、政治に重きを置かぬ民族である。

漢詩の多くは政治や世相を歌う。シェイクスピア作品の殆どは政治劇である。一方、和歌はその多くを抒情詩が突出して占め、能は死者との交霊、歌舞伎は人情を描くのみで、政治を描く事は稀である。司馬遷の史記は現代政治にただちに応用が効くが、平家物語を読んでも政治の参考になどまるでなるまい。

戦国時代の武将達の優れた経論を見れば、資質の上で政治に不向きな国民だとは一概に言えないが、必要がなければ、そうした関心を持たない民族なのだとは言えるのであろう。種子島の鉄砲伝来から短時日で世界一の鉄砲開発国になったのに、江戸時代に入った途端、刀に戻してしまうのが日本人なのである。

いざという時は勇敢だし、献身、諦念の美しさがあるが、本質的に平和で穏やか、一方、貪欲に粘り強く、情報戦で汚く勝つ、戦わずして勝つというようなことは全く好まないし、その能力・訓練ともに欠ける。

しかし今は四海により国境が守られていた時代とは異なる。

東京裁判が、戦争の後の戦争だったとすれば、今、私達の国が主として中国から仕掛けられている様々な工作は、戦争の前の戦争と呼ぶべきであろう。

だからこそ、東京裁判論をＧＨＱ批判に矮小化してはならない。

東京裁判——それは戦後、戦う事を忘れた私達自身の原点であり、鏡であって、今なお、私達自身の存亡の掛かった切実な問題だ、この身を切るような自己断罪を経ずして、日本の明日があるとは、少なくとも私には考え難い。

II

三先人の命日

十一月は、私に懐かしい大切な先人の命日が重なる。福田恆存（ふくだつねあり）、三島由紀夫（みしまゆきお）、ヴィルヘルム・フルトヴェングラーの三人が、この世に別れを告げた月なのである。

今年は、十一月二十日、福田先生の命日に、大磯の菩提寺に御参りした。久しぶりのことである。

執筆と社稷の難題とに忙殺される中、ふと思い立っての墓参は灯燈し時の事となったが、静かな墓所で先生と対座していると、時を超えて、「あの頃」の日本そのものにまみえるようだ。大磯の、昭和の日本をそのまま思わせる佇いは、幸い、今に変らない。街の佇いに、時間の、人の暮しの静かな持続が流れていなくて、人は、一体、どこで息を継げばいいのだろう。感官の刺激だけを求める人々の欲望が、資本という暴力を駆使して作った大都会の喧噪の中を、ただ、我を忘れるためだけにさ迷い歩く内に、我々の時代は、どれ程、人生という時間の味わいの内部にいる充実から、離れてしまった事だろう。

先生が亡くなった事を新聞で知った時の悲しみは、既に遠い昔となった今も忘れ難い。朝飯を食いながら産経新聞の朝刊一面下段に、写真と共に死去の報が伝えられているのを目にした途端、思いがけず涙が噴き出し、止まらなかった。あれは何だったのであろう。自らも思い寄らぬ事だった。私の心に本当に起きた事が何であったのか、実は、私自身にも解らない、解らないまま、私は涙を流していた、それが昨日のことのように近くも、また殆ど他生のことのように遥かにも、思い出される。

今、先生と書いたが、生前お会いした事はない。晩年の押掛け弟子である上、先生は、既に体調を崩しておられた。書いたものをお送りし、手紙のやり取りがあり、或る時電話をいただいた、私達の間にあった事と言えば、それだけの事だ。

その点、先生呼ばわりは、宣長の門人だったと後年主張した平田篤胤（ひらたあつたね）のようなもので、際物になり兼ねないかもしれぬ。第一、私は先人を重んじる余り、死没者をいつまでも先生呼ばわりする風は好まない。私には松陰先生も福澤先生も小林先生も三島先生もいない。私は彼らをそれぞれに敬愛するが、彼らはあくまでも、松陰であり福澤であり小林であり三島である。

私にとって、しかし、福田恆存は明らかに、福田先生であった。

いうまでもなく、その直接の理由は、曲がりなりにも、私が生前の先生とじかに繋がっていたという事実によるのに違いない。

が、今振り返れば、それだけではなかったのだろう。その頃、文藝春秋社から刊行されて間もない福田恆存全集八巻は、文字通り私の座右の書だった。時々に発表された広大な分野の思索と行動の高度な足跡が、大学時代の私に充分理解された筈はないが、学術や先行する思想家に頼らず、自らの考える葦そのものの力だけで同時代と対峙し続けた先生の言葉の力は、私のその後の生き方を根底から規定したと言ってよい。文体の上での影響や、思想傾向の上での影響など何の事があろう。そんなものがあろうとなかろうと、私は生きる態度そのものを福田恆存の文章の「背中」から偸んだのだった。それもそうしようと思ってでなく、知的な理解としてでもなく。手に余る難解な数々の論考を、理解不充分のまま必死に辿り続けるという、いわば「まねぶ」事を通じて、体の中に染みわたるように。

謦咳に接する機を逸した福田恆存の死に、突熱涙がこぼれたのも、感傷過多な私の性情によるだけではなかったのだろう。その後も、私は敬慕する人々の死を多く迎える事になるが、あのような涙は、他に記憶がないからである。

おそらく、その時の私は、福田恆存の前で、教師としての父を喪った子なのであった。それも、頭脳に知を授かった相手なのではなく、文章の数々で、人として生きる姿勢を見せてくれた先生が、福田恆存なのであった。

私は福田恆存の死によって深い意味で親離れをした、何かそういう気味合いで表す他のない、言葉を通じて血で繋がったただ一人の縁者が、私の場合福田恆存だった。

その意味で、私の中の福田恆存は、戦後日本を代表する保守派の論客などでは全くない。精神の働く領域を守る孤独な生き方を強いられた人であり、氏が孤立していたのは、何も左派が牛耳る論壇主流においてだけでなく、早くは文壇でも、後年の保守派論壇においても、氏は孤独だった。

大学から大学院時代、私は、福田の論壇的地位を確立したとされる昭和二十九（一九五四）年の「平和論論争」をつぶさに調べて、長大な論文を書いたが、その時点で、福田恆存は、既に孤独であった。そこで福田が投げかけた問いは、当時旺盛を極めていた左派知識人による絶対平和論への政策的な批判ではない。福田恆存の論壇的発言は、小泉信三や林健太郎のような政策論でも、田中美知太郎（たなかみちたろう）のような人間論でもない。江藤淳（えとうじゅん）、西尾幹二（にしおかんじ）、長谷川三千子という多くの俊秀が後に発表した画期的な日本論、近代論、戦後論とも違う。そのような「論」になどなりようもないほど、初発からずれている戦後論壇人達への人としての違和感に向けられた「呟き」であると言った方がよいと思っている。近代以後の日本人が、現在に至るまで、学問を修め、知的になればなる程、根本的に己自身からずれてゆく、その奇妙な背理への福田の身体的な反応が、氏の文学者としての本質だった……

墓参を終え、薄墨を流したように静かに暮れる寺前の路地を消えゆく、和装の老女を見送りながら、私は、我に返ったように呟いた、福田先生、もう良かありませんか。日本はこうなった、数百年という単位で見ればいつか先生や私が感じる違和感を覚えぬ時代が来るかもしれない。それはもう仕方のない民族的な病でもあり民族的な健康法でもある、気付いちまった私達の方が面倒な人間なのかもしれません。そうした気の長い話という事で、良しにさせてもらいましょうよ、先生……。

*

福田先生の命日の十日後、十一月三十日は、指揮者ウィルヘルム・フルトヴェングラーの命日である。没年は昭和二十九（一九五四）年。

フルトヴェングラーは、私の青春そのものだったのだから、この日は例年忘れようもない。今日は久々に実家に戻ったので、母の愛犬である柴犬の背中を撫でながら、私がとりわけ好むフルトヴェングラー死の年、パリ公演のライヴ録音を聴いた。亡くなる半年前、五月の演奏会で、当時のラジオ放送の実況や会場の拍手などをそのまま入れた貴重なものだ。

この頃のフルトヴェングラーの指揮は、幽玄と、生命力との眩ゆいばかりの混淆で、全てのレコードが貴重である。以前、このパリの直ぐ後、トリノかどこかで行われた、やはり全公演収録のライヴレコードを聴いた時、プログラム冒頭《オイリアンテ序曲》の、最初の何小節かの躍動と可憐さとに、まるで春の驟雨に打たれたように驚いた事がある。あれほど豊かに、それでいて繊細な、心の襞に入りながら、昂揚と感傷とで同時に胸を満たす演奏があり得るのか。信じ難い思いであった。全奏の凝縮された気迫、オーボエソロの心の昂ぶり、和声を支える木管群の心の弾み、完備されたアンサンブルでも、解釈でもなく、奏者一人一人の心が鏡に見るように、聞こえてくるのである。

心がそのまま伝わる音楽――そう書いてみて、私は驚く。技巧を整え、表現に工夫を重ねれば、聴き手の心は耳に行ってしまう。下手に心を込めれば、音は品下り、表現は誇張される。聴き手の不注意な心に突如、しかもそっと触れてくる心と心との会話が、本当に可能な瞬間など、毎日音楽を楽しんでいる人達にあってさえ、どれほどあるものだろうか。

今日聴いたパリ公演では、シューベルトの《未完成》が、絶望が降り積もる雪のように静かに心に滲み渡り、第二楽章では、殆ど胸破れる程の絶唱となる。絶唱が、絶唱として響く恐ろしさ――だが、その果てに見える薄明の中のオーロラのような末尾の美しさ。これはもう、本当に忘れ難い演奏である。

そして後半の《第五》。あの《未完成》の、死に閉ざされた荒涼無人の境界から、よくも、この晴朗な世界へと還って来られたと思わせる程高らかな自信の音楽、確かな足取り、そして、ダイナミズムの恰幅のある音楽である。リズム一つ取っても、あの弾力、深みまで足をすっと踏み締めながら、あれ程浮揚力のあるリズムが、どうしたら可能なのか。しぶきを上げて前進する音楽が、同時に、どうして、こんなに細部まできらめくように表情の無限を示しているのか。どこまでも快適に前進するのに、奥行への、瞬間瞬間の誘惑の、何と強い演奏だろう。

近代藝術における「内面」という思想を否定する風潮が、二十世紀後半以後続く。だが、私が、フルトヴェングラーの演奏から学んだ「内面」は、近代自我という仮想されたイデオロギーとは別段関係はない。内面に重く沈んでゆく一面的なものでもない。表面に輝くリズムの推進力と、内面への無限の遡行の誘惑とは矛盾しない。一義的な意味確定への強烈な求心力と、自由な遊びとは矛盾しない。それがフルトヴェングラーの示した天才だったし、その意味では、フルトヴェングラーは、近代イデオロギーをも、その批判をも超えた世界を示している。

因みに、この日の公演は、吉田秀和、大岡昇平も聴いており、吉田はその事を『音楽紀行』に、大岡は、『ザルツブルクの小枝』に書いているから、興味ある方はお読みになりながら、レコードを聴き直す楽しみもある。私は、スタンダリアンの大岡が、ベートーヴェンなぞお歯に合わねえと言って、後半の《第五》は聴かずに帰ってしまったとどこかで読んだ記憶があるのだが、今、大岡さんの文章を読み直してみると、最後までちゃんと聴いている。

夜、オペラ座、フルトヴェングラー指揮、ベルリン・フィルハーモニー。ブラームス「ハイドンのテーマによる変奏曲」「未完成交響曲」「第五交響曲」。げっ、これは凄い。ボストン・シンフォニイとは大人と子供ぐらいの違いだ。〔『ザルツブルクの小枝』〈中央公論新社〉〕

聴かずに帰ったどころか、フルトヴェングラーには完全に脱帽の態だったようである。大岡の文章で「げっ」などというのは、他に見た覚えがない。生で聴くフルトヴェングラーは余程、「げっ」だったのであろう。日本では新交響楽団が諸々の経緯を経てNHK交響楽団に生れ変り、まだ貧弱な音で、必死にドイツ古典物を相手に悪戦苦闘していた時代である。そんな日本から渡米し、既にボストン交響楽団を聴いていた大岡が、そのボストン響とフルトヴェングラー指揮のベルリンフィルを「大人と子供の違い」と評しているのは、近代日本の知識人を特徴づける一種の蛮勇であろう。が、この蛮勇は千年に余る文化伝統を体して、いつも不思議と的確なのである。

ボストンはヨーロッパの香りの高い街で、ボストン交響楽団はベルリンフィルよりもたった一年だが、創立は古い。しかも、指揮者は伝説的なセルゲイ・クーセヴィツキーからシャルル・ミュンシュに交代した頃である。多年、歴史的大指揮者に率いられ、国もオーケストラも全盛期だった。そのアメリカの名門オケが、戦争で米軍の捕虜となり『俘虜記』を書いた大岡には「子供」と聴こえた。

文化には金や技術では追い付けない「何か」がある。これは期せずして、フルトヴェングラーがウィーンフィルを、機能において遥かに優れたアメリカのオーケストラから擁護した一文の一節である。

ではその「何か」とは伝統の事か。

そして大岡は、その「何か」の有無をもって、二つのオーケストラを「大人と子供の違い」と評したのだろうか。

しかし、今書いたように、ボストンは古き良きヨーロッパを継承した街だし、ベルリンフィルはボストン交響楽団より若いオーケストラなのである。それにもかかわらず、ベルリンフィルに、ボストンのオーケストラとは比較にならぬ歴史の声が聴こえ、大人の風格が漲っていたとすれば、それはどこから来たものなのか。……

話を元に戻そう。

大岡は、それでも、《第五》は、どうしても駄目だったとの事。お歯に合わねえと言って帰ってしまったというのは、私の記憶の誇張だが、やはり《第五交響曲》を受け付けられなかったのは確からしい。

吉田秀和君の説によると「第五」も最上の演奏だそうである。…略…作曲勉強中の若い別

宮君の意見でも傑作なるよし。して見ると僕の耳に何か欠陥があるに違いない。(同前)

感じ方が、根っ子から違えば、何かが、どうしてもとらえられない、そういう事が、藝術の面白さでもあり、人間という生き物の面白さでもあろう。

私には、録音で聴いてすら、この演奏に途中で飽きてしまうなど、思いも寄らない。できれば、大岡の代わりに、この演奏を生で聴きたかった。

一楽章から、深沈たる静けさを湛えている演奏は、二楽章でも、殆ど、肉声のように歌いながら、「孤独な散歩者の夢想」のようである。だが、その夢想は、ルソーのそれとは違い、葛藤を含まず、孤独の素直な喜びに満ちている。フルトヴェングラーは、近づきつつある死を、この時既にはっきりと、安らぎとして受け容れ、楽しみにしていると言ってよい、私は、この演奏をそう聴く。

こんな深沈たる静けさは、ベートーヴェンの《第五》の世界とはまるで違う筈なのに、違和感を覚えないのは、ベートーヴェンもまた、シェイクスピアのように百の心を同時に含む無限な音彩を持っていたという事になるのだろうか。第三楽章から四楽章に掛けても、壮年期までのフルトヴェングラーには見られない陰影がある。この演奏を、言葉で捕えるのは難しい。それは、殆ど叡智の結晶のようだ。喜びの中に混る、様々な感情を噛み分けて聴いてゆく内に、屈託は全て洗い流される。昂揚し続けるうねりの背後に流れる沈黙は深い。ただ、静かに晴れ渡る秋の空だけが残るようなフィナーレコーダである。

*

残る一人、つまり三島由紀夫の死に就ては、とりわけ軽率な事を書きたくないが、ここでも大岡昇平を引き合いに出すならば、大岡は、例の、川端康成のノーベル賞受賞が川端と三島二人を殺したという話を好んで話していたらしい。書き残したもののもどこかにあったような気がする。泣き虫昇平と呼ばれたこの激し過ぎる好漢にして偉大な文学者を私は尊敬しているが、この「説」は感心できない。

確かに、それまで何度か候補に上がっていた三島が外され、ノーベル賞が川端に贈られた事は、当時も、文学関係者には意外と受取られたようである。受賞直後、川端の翻訳者のサイデンステッカーさえもが、翻訳を通じてでは川端文学の魅力は伝わらないかと悩んできたのに、それが受賞できたとは、望外の喜びだと話している。川端が三島に自身の推薦を強く要求していたとの研究もある。

しかし、それを敷衍して、三島が、次の日本人のノーベル賞受賞が二十年後と見当を付け、それを待てずに自爆的な死を選び、川端はノーベル賞に値するだけの作品を書けなくなったから、自殺したというのは、俗論だろう。

死を真っ直ぐに見詰めながら、日本の行末を熟考し続けていた晩年の三島の切腹を、たかだかノーベル賞を巡る葛藤の問題に矮小化するのは馬鹿げている。受賞、受勲というものが、人を狂わせる、そんな事を百も承知で、己の葛藤を客観視できない程、三島の知性と自制心とが、脆弱だった筈もない。

一方、川端が書けなくなっていたのは、ある意味では、ノーベル賞の五年程前、既に『古都』の頃からで、書き上げた後、本人が「あの小説は睡眠薬がかゝせたのであつたらうか」とさえ書いている程、薬漬けで書かれた作品だ。この作品を、甘く軽い感傷の作と見、京都の四季風景の写生のように見る事には、私は一貫して反対している。成熟と天才と、妖しいまでの美が揺曳する異様な傑作と思って、そういう批評を書いた事もある。

だが、この小説執筆を通じて、川端自身は、創作の為に必要な、心身の強壮が最早尽きている事を痛感したのに違いない。川端の小説執筆は、三島のようにプランに基づかない。感興に従って、作品世界に潜り込みながら、作品の内部から新しい物語が生れてくるのを、彼自身が待つような書き方だ。一回性の冒険によって、詩が生れるのを待つような際どさの中で書いてきた人である。本当に納得のゆく作品が生れるのを待つ心身の条件を生き続けるのは、困難を極める。

それを考えれば、戦後の川端は、充分多作だったし、しかも、何度か試みた新聞小説でさえ傑作だった。私は、寧ろ、五十代から六十代前半までの川端の高度な多作の連続に、異様な感動と危さを覚える。そうした多産な時代が、『古都』で打ち止めになったとして、悲観する話ではあるまい。志賀直哉は四十代で作家としての仕事の大半を終えたが、この頃八十代半ばで大家中の大家として、健在だった。ノーベル賞受賞の重圧に負けて自殺したなどという説は理解に苦しむ。川端の自殺は、多くの身近な人がもらしているように、自然死に近かったように思われる。美しい衰弱を生きながら、自ずからの流れで、或る日、他界に移動してみた、そういう自然さがある。

川端自身は、「美しい日本の私」で、自殺は悟りの姿ではないと、厳しく却けている。それならば、川端は負けたのか。私はそうは思わない。川端には、自裁の意識さえ、あえて言えばなかったのではあるまいか。川端の死は、一切の力みが消えた涯に、静かに自然に寄り添って選ばれた生の、最後の微笑に寧ろ近い。あれだけ魂の底に悲しみの清流が流れているまま、人間への愛情にうち顫える文章を創造できた文学者は、稀である。その死に、私が、仏の微笑を感じるのは、如何にも自然な事なのである。

そう言えば、フルトヴェングラーに関しては、かなり広く、その死が自殺に近かったという言い方がされ、夫人が強く憤っておられたのを読んだ事がある。夫人が伝えるフルトヴェングラー晩年の死は、成程、自殺ではないが、しかし、夫人も認めるように自ら選んだ死であったのは間違いない。生から逃避し、生を断ち切る強引さはない。生命の内に含まれている衰弱を生きたら、それが死であったとするならば、それ以上に、美しい死はあるまい。しんしんとした静かで明るい喜びが、その死の印象から響いてくるのは、おそらくその為であろう。

三島の死について触れる余裕がなくなったが、こうした人達の死に較べて、その体当りの死は、まだ存分に生の側にあったと私は感じてきた。それが悲しい、私を悲嘆のどん底に突き落とす。悲しいまでに真っ当な、悲しいまでに真っ直ぐな生き方が、なぜこのような非業の死に方に帰結せねばならなかったのか。戦後日本という腐食の泥沼にまともな人の感覚を持ったまま生きていたら、他に身の処しようはなく、そんな腐臭の中に生を強制された身に、真っ当な生とは、ついに自裁でしかない。ここには病的なものはまるでない。が余りにも悲痛である、私は自ら汚泥を歩き続けた疲弊を顧みて、そう思う。

少年時代の有名な写真の中で、聡明、純粋な微笑を浮かべた三島と、市ヶ谷のバルコニーで絶叫する三島の顔は、私の見るところ、真っ直ぐきれいに繋がっている。

この人が全身を震わせながら、汚辱の日本に処した最後の誠実な数年を思い、一層腐食の進む日本の、哀れで薄汚い現在を思えば、この人の死を語る言葉を私は持てないのである。持つ資格を自らに、全く感じる事ができないのである。

長じて、文辞の道を志して以来、この人の死に特段我が身を重ねるつもりはなかったが、それでも私が生を日本に捧げて、ありたけの力で生き、傷つき、侮辱され、黙殺される中で、私はいつしか、驚くほど、この人の哀しみの側に来てしまった事を最近思っている。

三島由紀夫没後五十年を迎える今日、市ヶ谷のバルコニーは、私にとって他人事の場所では、最早ないようである。

ブラームス雑感

知人のS君が書いた「パーヴォ・ヤルヴィのブラームス」という批評文を読んだ。主にヤルヴィ指揮の《第四交響曲》の批評だが、座談のような自由な想像力の羽ばたきがあり、面白かった。

「私の聴いたヤルヴィのブラームスは、もっと神経質な嫌な性格で、回りくどくて不器用な男」などと、音楽を演劇的な意味に置き換えてゆくS君の想像力は、音楽の意味をエネルギーや和声に還元しがちな私にはないものなのである。二十世紀以後の美学は、こうした想像力を、ロマン派風の妄想と切り捨ててきたが、つまるところ大切なのは、それで音楽を創造する、音楽を聴くという営みが豊かになるのかどうかという事であろう。

R・シュトラウスの交響詩は、対象の演劇的性格や風貌、風景の音化に溢れているし、ショスタコーヴィチもまた、音楽を意味に結びつけて、戦慄を覚える程精緻である。彼らの楽曲は、二十一世紀になり、大きく復権している。ストラヴィンスキーが幾ら美学の上で音楽は意味しない藝術だと主張しても、彼の作品で最も聴かれるのは、《ペトルーシュカ》《火の鳥》《春の祭典》

に限られる。いうまでもなく、これらは全音楽史を通じて最もカラフルな演劇性に溢れた作なのである。指揮者でも、レナード・バーンスタインやセルジュ・チェリビダッケ、カルロス・クライバーらの練習風景は音楽の物語化のオンパレード、アンサンブルの統御者であるより、どう見ても一人芝居の名優である。

S君の想像力には、同類の豊かさがある。

それにしても、「神経質な嫌な性格」のブラームス、ヤルヴィは意図してそんな風にブラームスを解したのであろうか？

音楽之友社から出ている『ブラームス回想録集』という三巻本は、この人物の手触り、見紛いようのないこの人物の佇まいが、友人や子弟の書いた言葉から浮かび上がり、まことに愉しい読みものだが、そこには事柄に正面から向き合い、いつも苦いユーモアを噛みしめている訳知りの男はいても、「神経質な嫌な性格」の人間はどこからも浮かび上がってはこない。

例えば――

一八七九年一月一三日ブラームスを訪問。……話題は、最近ウィーンフィルが演奏した、冴えない《交響曲第一番》に。彼はリハーサルで頭に来て、コンサートに行かなかったのである。

実は一八七八年一二月一五日のリハーサルで、この交響曲は二回通して演奏されただけだった。ハンス・リヒターは特別な準備をしたわけでもなく、総じてひどい出来だった。ブラームスは悔しそうに、

「もう何も言う気になれなかった。一度なんんか、演奏がグシャグシャになったので、笑ってやったよ。勉強したくないなら、引き受けなければいいんだ。そもそも、演奏してくれと頼んだわけじゃないんだから。とにかく態度が悪いよ」

ブラームスはそう繰り返した後、「でもフィルハーモニーの連中には、はっきりと言えないんだよ」と残念そうだった。

いささか引っ込み思案だが、嫌味なところはまるでない。真正直な生き方をしてきた率直なこの人の姿が、そのまま立ち現れるようだ。

ブラームスはこの時四十五歳、この二年の間に《第一交響曲》《第二交響曲》《ヴァイオリン協奏曲》を矢継ぎ早に発表し、今、私達の知る大作曲家ブラームスに近付きつつはあったものの、楽壇に揺るぎない地歩を確立するところまでは行っていない。ウィーンフィルにもリヒターにも、まだ遠慮があった。

が、彼の言葉は真っ当だ。

勉強したくないなら、引き受けなければいいんだ。

音楽に限らない、絶えざる勉強以外に、乗り切る道はない。その道を決して踏み外さずに歩き続けた人――私の中のブラームスはそういう人だ。

ところでヤルヴィ指揮の《第四交響曲》は、S君によれば、どのように始まったのか。

第4番の最初の音が出た時、そのカサカサした音が耳に付きます。メロディは美しいのに、綺麗な声で歌えなくて、でも好きな人への情熱ばかり強くて、一所懸命言いたいことはあるのだけれど、声がしゃがれたり、空回りしてしまって……

まるで音が見えてくるようだが、ブラームスの、不器用な訥弁(とつべん)が、こんな風に聴こえるとすれば、それはヤルヴィの意図であったのか、それとも失敗なのか、あるいはS君の想像力の奔放に帰して済ませばいいのか。これは易しい問いでは、実はなかろう。

S君の耳は確かだから、書かれている事を音楽に還元するのは簡単である。一般に行われる、控えめだが芳醇にヴァイオリンを歌わせ、木管の明滅と、次第に厚みを増す低弦がそれを支える

――ヤルヴィの指揮がそういう行き方でなく、ノンヴィブラートを駆使して冒頭部分の旋律的性格を解体し、クレッシェンドの過程を大きな弧としてでなく小さく繰り返される断片的な波の強弱に置き換えたのだろうと、私はこの文章を聴く。

そうした演奏は、この曲を旋律美の凡庸なラインに溶かし込んでしまうよりは、ずっと意味のある事ではあるのだろう。しかし、他方で解釈の手練手管へと聴き手の耳をそばだててしまい、音楽を小さく、うるさくしているようにも読める。

S君が、そこに不器用な男の片恋の苛立たしさを聴いたのは勿論想像力のなせる業だが、想像に根拠がないわけではない。

ブラームスは確かに、生涯上手な恋愛をできず、妻帯せずに終った人だからだ。が、ブラームスに「好きな人への情熱ばかりが強くて」それが「空回りしてしま」うような時期が果してあったかどうか。

《第四交響曲》は、翌年の《ヴァイオリンとチェロのための二重協奏曲》と並び、ブラームス最後の大作だ。五十二歳、既に恋も結婚も断念されており、「好きな人への情熱」は、遠い過去のものになっていたようである。

作曲当時のブラームスの「好きな人への情熱」をこの曲の冒頭に読むのはいずれにせよ無理であろう。

が、それならば、そうした追憶の残響がここにあると言えるのだろうか。

若き日のブラームスは驚くほどの美貌の持主だった。

素晴らしいピアニストでもあり、名教師でもあったブラームスは、若い女性らの憧れの的でもあった。

だが、どうやらブラームスは性愛については、非常に厳格な人だったようである。

彼の中の愛と性が複雑なもつれと生涯にわたる不器用な韜晦(とうかい)を示す事になるのは、明らかに、シューマンの発狂を共に支えねばならぬ事になったその妻クララとの葛藤の中でであろう。

二十歳のブラームスは、最晩年のシューマンに出会い、シューマンは論評で、ブラームスを絶賛する。まだ習作段階にあったブラームスが、大作曲家の激賞に狼狽しつつも、大きな喜びと感謝を抱いたのは当然だろう。ところが、その直後、シューマンは自殺未遂を図り、狂者となってしまう。成り行きに呆然としながらも、ブラームスは、七児を抱えた妻のクララの苦悩を必死で支えた。二人の間にはっきりとした強い恋愛感情が芽生えたのは間違いない。

この頃のブラームスのクララ宛書簡は、殆どシューマンに対して不謹慎なまでに愛の喜びに酔い痴れている。他方、三十四歳のクララが、美貌の若い天才に惹かれなかった筈もない。

クララ、愛するクララよ、……あなたへの愛を思うと、私はますます喜ばしい気分になって心が安らいできます。あなたがいない寂しさはそのつどいっそう募るのですが、その一方で、あなたに恋い焦がれている事に、私が喜びを覚えると言ってもいいほどです。とにかく、今はこのような状態であって、私はこうした気持ちを以前にも抱いた事はありますが、これほど熱い気持ちになったことは決してありませんでした（ノインツィヒ『大作曲家　ブラームス』〈音楽之友社〉七二頁）

そこにシューマンの唐突な死が訪れる。

二人はその死を直接看取った。

ブラームスは発狂したシューマンの断末魔を目撃してしまう。

クララには穏やかになったシューマンの最期だけを引き合わせた。

クララの中では、恐らくブラームスとの再婚の予感が、激しい師の苦悶を目にしたブラームスの中では寧ろ厳しい道徳的な断念が、この死によって齎(もたら)されたように、私には感じられる。

シューマンという決定的な師との出会いと異様な離別、その妻との恋情と断念の記録は、あえて言えば《ピアノ協奏曲第一番》に濃密に刻印されていると言えるだろう。第二楽章にその愛の秘密を聴くのは最も易しい想像だが、あの曲冒頭、彼が若さの最初から抱えていた、何者かへの厳しい峻拒(しゅんきょ)、度外れた抑圧を経ての暴発も、この人の愛の、生涯の行方を考える上で、忘れてはならない事だ。

ブラームスの場合、シューマンの青年期に、いや、中期に豪壮な音楽ばかり書き続けたベートーヴェンの若書きのピアノソナタにさえ一杯散りばめられている青春の愛の喜びは、むしろ、若い頃の作品には、ほんの僅かしか現れないからである。クララの後に出会った恋人、アガーテ(a-g-a-h-e)を、憧れに満ちた副次主題に使った《弦楽六重奏曲二番》は例外である。

彼の作品に、何か愛の喜び、憧憬の美しさが伸びやかに歌われるようになるのは、むしろ、中年に至ってから、しかもその多くは、私の印象では交響曲などの大曲に、より集中して表現されている。例えば《第一交響曲》の二楽章。あの、まるで憧れに満ちた眼差しを投げかけ、そっと俯(うつむ)き、手放しに愛を語ろうとして、ふと気後れをするような、そんな中から美しいエピソードがオーボエで歌われ出す出だし……。こんな手放しに愛を歌うブラームスが、それまでいただろうか。

《第二交響曲》の陽光の射す微笑のような出だし、《ピアノ協奏曲第二番》の第三楽章は、何と澄み切った、もう一つの《トリスタンとイゾルデ》のように響く事だろう。《第三交響曲》にさえ、優しい憧憬に仄(ほの)かに包まれる第二楽章がある。一方でもっと後年のクラリネット五重奏の愁(うれ)いも、それが過ぎ去ったものであるにせよ、愛の甘さが身を噛むように迫ってくる。

さて、ブラームスが寧ろ後年になって、作品に忍び込ませることになるこうした愛の慰めを知った上で、《第四交響曲》を聴く衝撃は、ある意味で、大きなものなのである。ここには何か異常な克己と厳粛な怒りが、慰謝（いしゃ）や晴朗さの代償一切なしに、人生そのものに向けられているようにさえ思われるからである。

勿論、そこここに胸の広がるようなロマンティックな羽ばたきもあり、哀切な憧憬もある。第一楽章の第一主題が展開して、騎士の主題に入る前の、ロ短調の哀切な飛翔や、第二楽章の副次主題などなど。

でも、ここで私達の胸を焦がすのは、それがもう喪（うしな）われた「時」そのもので、羽ばたきも憧憬も、手の届かず、またもう求めるつもりの全くない人のものである事がはっきり分かる、そのように憧憬と悔恨との切り離せない痛みが、心を打つからだ。

*

偶々（たまたま）、昨日、中上健次の『枯木灘（かれきなだ）』を読了した。紀州南端の小さな町を舞台に、男と女の生が、肉体の抒情詩と呼びたくなる不思議な神話のように、倦（う）まず歌われている。肉体は絶えず痛烈な匂いで生を発散しているが、かといって性が突出しているのではない。それは突起せず、鬱然（うつぜん）と、あらゆる人と人との関わりに底流している。村の土方や成上がり者と、複雑に入り組んだ血族の物語だから、ブラームスの恋とは、程遠い話である。生々しい生活感情がぶつかりあうだけの人生の中で、男どもと女達とが、和姦や強姦を繰り返し、撲り合い、時に殺し合い、それでいて身を寄せあって生きてゆく。

　これは、高度に知的な環境の中で、ブルジョア的近代の衣裳に包まれたブラームスの愛欲や作品とも遠いが、だからといって、現今の性愛の自由とは、更に遠いものだろう。

『枯木灘』の生々しい人いきれは、繋がりあうという事への、強い本能ゆえの摩擦であり、野卑であり、悲哀であり、無垢だからだ。今日の、安売りされる性に最も欠けているのは、深い秘密、極めて個人的な秘密を征服し、共有する喜びである。あえて言えば性の、根深い意味での、粗暴さである。『枯木灘』は、特に前半が、余りにも読み難く、本を床に投げ付けたくなる事も度々だった。だが、辛抱して読み続ける内に、私は、どうやら中上の紛いものでない作家の魂にすっかり当てられてしまったらしい。これ程、読みにくい文章は、手先で仮工されたものではない。そうまでして作者が、急激にスマートになり均質化する日本に投じようとしたのは、詰るところ言葉の力である。性を支える叡智であり、道徳であり、性の道徳の根源に眠るその暴力性への呼びさましを可能にするような、言葉の力の恢復である。

　……あらぬ方向に話は飛んだが、近代藝術もまた、こうした原初の性の神話への憧れを秘めてきた。

そうした意味では、ブラームスの愛と性が、その創作にどういう光と影とを落としているかを考えることは無駄ではない。

だが、創作と人生との結び付き方は、さほど単純ではない。ブラームスの押し殺されたような情念や怒りという話も、作品にじっくりと耳を傾ける姿勢を欠けば、安直な思い付きに過ぎなくなる。フロイディズム以後、藝術作品や藝術家を性欲に還元して論じ、描く風潮は、ごく当たり前の事になってしまった。性そのものが安売りされるのと並行するように、そうしたことを誰もが口にするようになった。藝術や学問は、かつて過度に隠蔽されていた性に、ようやく肉薄しつつあるのか、それとも、逆に性を安く買い叩いただけなのか。

ナポレオンはゲーテに『ウェルテル』を七回読み直したと言った。ゲーテは、晩年になっても、あの小説を読み返すのは怖いと述懐している。恋が人を追い込むあの恐ろしい力に、引きずり込まれそうだから、と言うのである。今日、『ウェルテル』に、そこまでの刺激を受けるのは、信じられないと人は言うだろう。全てが遠慮深過ぎ、やや退屈な抒情詩に過ぎないとさえ、言うかもしれない。嵐のような恋愛感情も粗暴な性の力も、あらゆる文学と映画とが描き尽し、『ウェルテル』は、疾うに乗り越えられたと言うかもしれない。

だが、ナポレオンの権力が、もし、彼が欲するならば、どれだけの女性との恋を満喫できたかを考えてみるがいい。性の暴力も放縦もその気になれば幾らでも自由だった筈の男が、なぜ

『ウェルテル』を七回も読まねばならなかったか。

要するに、露出した性は、退屈だ、恋の深みを味わうとは、性に還元する事を自ら拒絶する程の深みで、異性と交歓することだ、そうした関係を文学として作り出せるのは、ゲーテのような天才だけであり、そうした関係の、本当の充実を味わえたのは、ナポレオンのような天才だけだった。

この小説を恐ろしいと思えない人に、男と女の関係など、分かる筈もないというのは、近代ヨーロッパが生み出した、優れて精神的な暗黙の価値規範の一つだった——私はそう思う。

ブラームスの隠された性——この人のクララへの恋と断念は、多分にウェルテル的なものであって、本人もそれは自覚していた。その意味で、ウェルテルが、自死せずに、生に堪え、自身のロッテへの愛をあくまでも引き受けて成熟していったとしたら、それはブラームスの忿怒（ふんど）と憧憬の、引き裂かれた晩年に、一直線で繋がったかもしれない。

それが、安く買い叩かれた性や、フロイディズムの安直な適用より、ナイーヴな世界だとは、私には思えない。

鎌倉にて

今日は、一日、執筆で巣籠りするつもりであったが、窓から見る秋晴れの空に誘われて、久し振りに遠出する気持ちになった。

遠出といっても鎌倉である。

年に何度か、ふと思い立ち、季節ごとの鎌倉の色彩に染まりにゆくように出向くのが、長年の習慣なのである。

北鎌倉駅で降りる。

円覚寺を散策することもあれば、東慶寺に向かうこともある。

東慶寺は、小林秀雄（こばやしひでお）、高見順（たかみじゅん）ら鎌倉文士の墓所でもあり、岩波茂雄（いわなみしげお）、和辻哲郎（わつじてつろう）、西田幾多郎（にしだきたろう）ら岩波文化人らも眠っている。私には血脈の上で、縁深いお寺である。

小林さんのお墓は、欠かさずお参りする。

拝観入口から、小さな記念館の少し先を左に上ると、突き当りが墓所である。標石があり、小林さん自身の字で小林家と彫られている。五輪塔の小さな墓で、確か、彼が自分で見つけてきたものだったはずである。

今日は、新しい花が活けてある。

時に若い女性などがお墓の前で手を合わせているのを見る事もある。おそらく、そうした愛読者によるものなのであろう。

墓所はやや高台にあるから、帰路は対面の山並みが、美しく映える。今日の紅葉は、色づき始めというところであろうか。

鎌倉山の登り口から、銭洗い弁天、源氏山公園で桜や紅葉に親しんで、長谷寺の大仏の方へ降りることもあるが、今日は、建長寺から、鶴岡八幡宮へと抜ける国道を歩いた。途中、八幡宮裏のすぐ手前、左手への路地を入り、急な坂を上ると、小林さんの昔の家、いわゆる山の上の家がある。一度、白洲信哉さんに招かれて訪ねた事がある。庭からの眺めは、相模湾を遠望する絶景であるが、海との距離が何か余程絶妙に働くのであろうか、まるで山深い渓谷にいるように錯覚され、到底、鶴岡八幡宮裏の、小さな丘の上の家とは思えない景色である。

今日は、白洲さんと待ち合わせたわけでもないのだから、無論立ち寄らない。鶴岡八幡宮にすぐ下りて、そのまま、小町通りに入り、割烹の店、中がわで酒を呑んだ。

小林秀雄と永井龍男が多年贔屓していた店で、他に客の少ない時には、女将さんがその頃の思い出を問わず語りにあれこれと話してくれるのを聞くのが楽しみな店である。

女将さんによれば、多くの文士文人が来たが、小林さんの人物は群を抜いて別格だったという。生酔い本性違わずと言う。

小林さんがこの店に通う頃は、既に老境に入って後の事ではあろうが、飲み屋の女将に群を抜いた人に見えていたという事は、争いようのないこの人の、人としての丈を意味するという他は、ないのであろう。

中村光夫（なかむらみつお）が、小林の手厳しいしごきに、兎のような目に涙をためて耐えていたという話も毎度聞く。今日はそこからどう逸れたものであったか、ふと吉田秀和の話になった。吉田さんは小林さんと親しくなりたくて、鎌倉に越してきたのだけれど、全くの下戸でいらしたから、それじゃあダメよねえ……。

実際、山の家から下界に降りた小林さんが居を構えた雪の下の路地の家の前に、吉田秀和宅はあった。

小林さんの終（つい）の棲家（すみか）は、北欧風のモダンなプレハブだったと記憶するが、吉田さんの家は、木造の平屋、それも昭和というより、もう大正の建物ではないかという程、古く、つぎはぎだらけ、失礼ながら押せば倒れそうな家で、ここでどうやってオーディオを鳴らし、音楽を聴いておられるのだろうと、驚いた事を覚えている。

どちらの家も、今はない。こんな風に、全てが余りに易く、時の進むままに流されて……

そういえば、あれはいつであったか、まだ吉田さんの生前、鎌倉文学館で吉田秀和展があった。あの時も、原稿に疲れ、ふと足を運んだのだった。着いたのはやはり既に夕刻であった。

＊

鎌倉文学館の、夕映えを映した建物は、洋館である。三島由紀夫が『春の雪』でモデルにした建物として知られるが、その作中の建物の印象は、実は、こうして眺めていても、甦ってはこない。

常設展示は、鎌倉文士の直筆原稿など、私には懐かしい名前の並ぶ場所である。秋の夕陽が射し込む中で、高見順や川端康成、里見惇、林房雄などの原稿を見て廻るのは、気の晴れる時間だった。吉田秀和の展示も、量はそんなにないけれど、清潔で充実したものだったといっていい。まだ健筆をふるっておられたその頃の直筆原稿も見たが、実に闊達で生命の力の籠った筆致に、驚きと敬意を覚えたのを、はっきりと覚えている。

大岡昇平、福田恆存との鼎談記事が展示されていたのは、私には特に嬉しかった。昭和三十（一九五五）年頃、三人が相次いでロックフェラー財団の奨学金か何かで、洋行した時のものであろう。鼎談の時の写真として、吉田さんと大岡さんの写っている写真が飾ってある。おかしいな、福田先生はどうされたのかと思って下を見ると、撮影・福田恆存、とある。下手糞な写真だなあ……。こういう時代の、この先輩達に憧れて、批評を書き始めた、その自分が、現在、時代から、どれ程孤立しているかに、茫然とする。

展示品で特に興味深かったのは、小林秀雄から吉田秀和宛の葉書である。グールドの弾いた《ゴールドベルク変奏曲》のレコードを、吉田さんが小林さんにプレゼントしたらしい、その礼状で、「あなたのお説の通り、グールドといふ人のピアノは大変新鮮」というような簡単な内容だが、後半に、「書いたまゝ出し忘れてゐて、大変失礼しました」とある。礼状を書き掛けて、そのまま出していなかったものを、ふと机の隅かなんぞに見附けて、慌てて投函したものらしい。小林さんらしいさっぱりした風格の手紙である。

音楽批評の先達としての、吉田秀和の仕事に就ては、私が云々する必要はないだろう。吉田さんは、「文藝批評の黄金時代」にあってさえ、文藝評論家にも稀なくらい、優れた批評文学の書き手だったし、音楽から広がりながら、藝術と人生万般に就て、描き続け、論じ続けた、その仕事の幅の広さと奥行きの深さは、世界にさえ類例を求め難い。

だが、一方で、この幅の広さと、息の長さは、吉田さんが、初期の代表作『主題と変奏』で示したような、純粋な批評の道を棄てて、広い意味での啓蒙へと、仕事を転じられた為に可能だったという言い方もできる。

『主題と変奏』を読めば、吉田秀和が、小林秀雄の強い影響下にあると同時に、音楽批評としては、ヨーロッパにもない、全く新しいジャンルの発明者だった事が分かる。古くは、E・T・A・ホフマン、シャルル・ボードレールから、二十世紀前半の、ポール・ヴァレリー、アンドレ・ジイド、ロマン・ロラン、アランらの批評にはない、はるかに精妙な文化伝統を背負った者の鋭さがある。楽曲分析が、そのまま、見事に文学的な実質になっている。一方で、私批評とでも言いたくなるような、自分の人生の内部から、シューマンの〝音〟を響かせての、独創の高さがある。そうして何よりも、ここでは批評が一つの醇乎(じゅんこ)とした文学的な時空間を作っている。『主題と変奏』の読後感は、ジイドで言えば、『ショパンに関する覚書』のそれよりも、『背徳者』や『狭き門』のそれに近い。また、吉田と同世代のドイツ人、テオドール・アドルノのような衒学性に傾斜せずに、吉田の自意識のドラマが、そのままシューマンのロマンティスムの核心に寄り添っているような、緊張と昂揚と自由とがある。そうした開放的な批評の空間で、対象となっているシューマンの音は、何と伸びやかに、しかし、如何にもシューマンらしい独白のロマンを湛えている事であろう。

しかし、この後、吉田さんは、日本のクラシック受容においては、純粋な批評作品よりも、啓蒙的な仕事が急務と判断し、批評家というよりも、理論的な啓蒙家というべき性質の仕事に、傾斜してゆく事になった。

無論、それが妥協だとも、駄目だとも思わない。そうした仕事にも、発見の自由と喜びはいつもあったのだし、バックハウスかルービンシュタインのピアノのように、たっぷり豊かに〝鳴る〟吉田さんの文章は、いよいよ成熟していったからだ。

音楽批評の純潔を守ったのは、吉田さんではなく、遠山一行（とおやまかずゆき）だったが、今となっては、二人の仕事は、それぞれの色彩で、やわらかく輝く、日本近代の文化受容の、頂点だったと見た方がいいのだろう。批評の純潔を守るのは、易しい事ではないが、啓蒙を文学と化する程に、豊饒に耕す道が、それより易しい筈もない。啓蒙の前提となるのは、該博（がいはく）な基礎学力である。批評の前提となる判断力の天性に較べて、手に入れるのが容易なものでは決してないのである。

帰路、近くにある川端康成旧邸を訪ねた。裏の神社が小高い山になっていて、これが、『山の音』の〝山〟だった筈である。夕凪の時間で、耳を澄ましても、山の音は一向に聞えてはこなかった。無論、信吾の中でしか聞えない音だとして、だが、今の私に、それが聞えて悪い筈があるだろうか？

山の音を聞く代わり、小道を掻き分けて山に上り、遠く夕陽の燦爛（さんらん）する相模湾を眺めた。川端が最後に見た海も、こんな風に、夕陽の燦爛に照り返されていたのだろうか。それとも、末期の眼で、海を見る事はついになかったのであろうか。私の好きだった人達は、皆、死に、皆、年老いて……。

寝正月と『本居宣長』

一

年末から風邪を引き、寝込んだまま元旦を迎えた。

寝正月を幸い、小林秀雄の『本居宣長』を十三年振りに読み直している。通読は五読目だが、この度ようやくこの仕事の価値が分かった。分かったと言って言い過ぎなら、少なくとも、強い感触が、私に初めてきた。性、魯鈍という他はない。前回読んだ時は、殊の外この作への反発が大きく、その折の私の書込みは小林さんへの異議申し立てと意地悪な評に溢れている。この時、どこかに、『本居宣長』は、殆ど批評という営みの辿り着いた宿痾だと書いた記憶もある。実際、再読していると、こういう書き方は絶対したくないという書込みも散見され、我ながら苦笑しきりだが、実は、その反撥に意味がなかった訳ではなく、私の『小林秀雄の後の二十一章』は、ある面から言えばこの反発の結果だった。その後、少しずつでも勉強を続けてきた為に、ようやく『本居宣長』を小林がなぜ書かねばならなかったのか、この作の全貌を少し見晴るかすことができるようになったのは有難い。

宣長が『うひ山踏み』で説くように「学問は倦まずたゆまず続けることが肝要」なのであり、学問や文学の道とは、遂に、正宗白鳥ではないが「ふん、才能なんて」という事なのであろう。林房雄と保田與重郎の対談で、林が「飛鳥朝は既に近代だ」と言った事を、宮崎正弘氏の本で最近知ったが、記紀萬葉が既に近代であったような日本において、その千年後、繊弱な日本語の力の衰微を経て、宣長が源氏物語と詠歌の研究を通じて、言葉の機能、物語の発生というウルトラモダンな問題意識に出会ってしまう——そうした言語経験があって、初めて明治からの近代日本が可能だった。

小林秀雄という、これまた超近代的な感受性を持つ批評家が、ランボオの発見から出発して、最後の大作において、日本の言語経験を、『源氏物語』、詠歌、『古事記』へと遡行して全貌を明らめた宣長を論じて人生を締めくくったのは、それ自体、近代日本文学の総仕上げだったのではなかったろうか。

小林は、ベルグソン論である「感想」挫折の後、プラトン論やドストエフスキー論で人生を締めくくるか、本居宣長に取り組むかで迷い、宣長に決した。これがプラトンやドストエフスキーだったなら、話はてんで台無しだったろう。文明と人との、これは一回限りの機縁だった、今度の読書で、その有難さが身に染みた。

とりわけ『源氏物語』論のくだりは、近代批評の大家に一人も源氏論の優れた論攷がない驚くべき事実を思えば、とりわけ小林の使命感と喜びが感じられ、今までそんな事を思って読んだ事のなかった私は、私自身の拙劣な人生を勝手に重ねながら、陶然とした。今日は丁度本書の往復点である二十五章、愈々『古事記伝』に入ってゆく。
病臥の正月は思いの他豊かだ。

二

寝正月は初めてだが、病気になって寝ていなければ好き勝手な読書の時間も儘ならないのだから、丁度良いようなものだった。昨日は原稿の書初めで、エドマンド・バーク論を少し加筆しただけで風邪がぶり返しそうになったが、近所にある来宮神社に初詣に出掛けたら持ち直したようである。今日は原稿も普通に書ける。こんな有難い事はない。

小林の『本居宣長』は後半に入った。日本の道、それも伊勢神道や平田神道のような意味で「宗教化」が図られた近代的な宗教ではなく、暮しの中で、とは言語生活の中でという意味なのだが、そこで守られ育まれてきた「日本」を宣長が発見し、彼が発見した事の意味を、近代的歴史観の上で通覧できる形で日本の歴史を辿ったのが、小林の『本居宣長』という事であったのだ。

それが今回、初めて、私に見えた。江戸の学者の使う言葉で言えば「手の舞ひ足の踏むところを知らず」という所だが、同時に、私が仕事の上で継がねばならない重荷は、私の任を遥かに超える。

私を政治言論人或いはベストセラー製作者として考える人は、私の文藝を酔狂と考えるし、私の文藝を尊重してくれる人は、政治・社会的な発言はマイナスにしかならないからいい加減によせという。

が、私の政治的発言の粋を今の所『天皇の平和　九条の平和』や『真正保守の反論』だとするならば、これらの書物は、私が最も汚らわしい汚泥の中に降り立って孤立覚悟の仕事をしなければ、決して書けなかったものだし、汚泥の中に降り立たねば日本を再建する道も決して見えない以上、今の時代に、古学や西洋の小説の評論だけを書いていたならば、私は畢竟好事家を出ないまま終わり、思想という、体ごと時代とぶつからなければ紡げぬ営みにまで抜け出ることは、できなかったであろう。

思想は過去の思想書と頭脳の上でゲームを演じる事ではない。どのような回路を通ろうとも、生きている「今」に、体ごとぶつかる仕事だ。

が、誰の場合にせよ、それが本質を穿つものであればあるほど、その意味を同時代が理解する事は殆どない。

なぜなら彼自身にもその意味は見えていないのだから。自分が汚泥の一部なのか理想の光の一筋なのかさえ見極められない混乱を背負わねば、物を考えるなど、所詮計算機に代用させればいいだけの話なのである。

三

激動の中で新年を迎えた世界情勢だが、私はそういう事は放り出して、寝床で小林さんの『本居宣長』を読み続けている。寝過ぎて腰が痛くなった。三日にはほぼ快癒(かいゆ)したと思ったが、昨日、今日と頭痛やだるさが抜けきらない。

時代が激しくなれば、日本に残された道は、外に向けて国を強くし、国家弱体化を狙ってシロアリのように我が国をむしばんでいる異分子を断乎排除するほかはない。他方、内にあって国の本質に返る事。宣長の言う日本の大道は自然の神道。私はこれから仕事の主軸をその日本の本質の闡明(せんめい)に置いてゆく。

それにしても初読から三十年、五読目にしてようやく小林の『本居宣長』という仕事の決定的な性質、比類なく偉大な意味を味読し得て始まった令和二年は、幸先がよい。私の天命と日本の天命が、ようやく、時熟し、交点に至ったとの思いを禁じ得ない。

今、後半の、『古事記伝』、迦微（カミ）、秋成との日の神論争などの箇所を読んでいるが、ここも、三十年にして、ようやく読めた。日の神論争は大学院時代、中世文藝の優れた学徒である兵藤裕已（ひょうどうひろみ）先生の演習テクストだったから、その際も随分熟読し、考えもしたのだが、小林のこの論争を扱う扱い方は、宣長が秋成を扱う扱い方相応に不器用で、私にはあの頃は分ったようで分らなかった。他の諸君は、浪人や留年、放蕩を重ねた私より、だいぶ若く、テクストだけを理で解こうとするのだから、見当さえつかぬ有様だが、では理でなくて何で解くのか。朱子の窮理を、言語そのものと直接相対する処にまで突き詰めたのが徂徠（そらい）、宣長なのだから、理を捨てていい筈はない。兵藤先生は、議論が滞ると気弱そうな苦笑を浮かべながら「小川さん、どう思う？」と聞いてくる。もとより、私に分ろうはずもない。

今度の読書で、『源氏物語』を熟読する経験によって「もののあはれを知る心」を得た宣長が、『古事記』を熟読することで、古代人による神の命名行為が物の直かな経験であり、それが「もののかしこきを知る心」を得る事だと悟った、その一貫した宣長の思想的営為が実によく分かった。

和歌の道は何か。「歌はただ思ふ事を程よく言ひ出づるまでなり」。これを儒仏老で解釈して「深くせんとしてかへつて浅くなる」事を、宣長は強く戒めた。「言葉」が物の直知という「行為」であり、日本の古代、言葉と物とが直に結びあっていた事こそが人の道として真っ当で深い言語体験だった事を宣長は発見したのである。

後世、支那や西洋で、言葉が観念化し、難解な理論構成に向かったのは、実は物の深い経験から人間を切り離してしまう事だ、深いと見える事が浅いのであって、日本古来の道の浅く見える事こそが、実は深い直知の経験なのだというのが、困難な模索を続けてようやく三十七章で、一気に認識の窓が開けたように、小林さんが到達した光景だ。秋成は支那の学問に依って日本を軽んじた人では決してない。当時の窮理(きゅうり)の先端から古代日本を解し、愛した人だ。が、そのような日本理解こそが、頭から日本を軽侮(けいぶ)するよりも、寧ろ、なお、たちが悪い。ここに宣長と秋成が互いに憎悪するに至る論争の原因があった。

この極めて微妙な行き違いを描く事で呼吸を整え、小林さんは最後の登攀(とうはん)に入るわけだ。

四

今朝、小林秀雄『本居宣長』を読了した。

これが今年の仕事始めだった。

後半三十八章以降、賀茂真淵(かものまぶち)の古道と宣長の古道の違いを説く辺りから、終章までは大変な難読箇所である。小林の側近秘書であった故郡司勝義(ぐんじかつよし)さんによると、ある時「僕の宣長は、『古事記伝』を論じているので『古事記』を論じる訳ではないからね」と厳しく釘を刺されたという。非難がましい雑音も入ってきていたのであろう。

この最終局面に入る頃には、古希を過ぎた小林自身、体調の不安も嵩じ、刊本では全て削除されているが、フロイトへと筆が曲がつて一年近く戻らなかったり、宣長の「信仰」と「学問」が一つ由来だという小林の確信を語る事の難しさに、ほとほと渋滞し、遂に連載での完成を諦めてさえいる。連載終了後、徹底推敲により三分の一を棄て、最終五十章――宣長の死生観そのものを語る――を何本ものヴァリエーションで作成した上、一つを選び、起筆から十三年で刊行されたのが、現在私達が手にしている『本居宣長』なのである。

読み、考える足取りそのものを録したという意味で註釈文学だが、宣長の『古事記伝』や幸田露伴(こうだろはん)の『芭蕉七部集評釈』とは異なり、小林の『宣長』は、評伝でもあり、なだらかな日本語のエセーでもあり、全く独創的な思想書でもあり、美しい文藝であるところに、圧倒的な偉大さがある。

後半部分とて、要約してしまえば難しい事を言っているのではない。真淵は萬葉・祝詞によって得た古代の「理想」を『古事記』に投影しようとした。それこそが古道だと信を先に立てる事で、『古事記』の解読に成功すると真淵は信じたが、そこに固執したゆえに挫折した、小林はそう見る。宣長は『古事記』そのものの文辞=姿を素直に受け取り、その素朴に浅く「見えるまま」を尊く深い日本の道と見た。小林は、宣長にそれが可能だったのは、『源氏物語』体験があったからだとする。『源氏物語』が、女性の手になり、から心を排し、男性原理を排し、性道徳にもこだわらず人の姿を「見えるまま」に、しかし「めでたく」描く、その愛読経験が、宣長を「古道」というような考えから自由にした。

宣長の死生観を語る終章では、『源氏物語』が「雲隠れ」で、源氏の死を表現しなかったのに対し、『古事記』は黄泉の国の汚い姿をそのまま描いている事が語られる。これが「古道」だ、信じろと言われても信じられないではないか、さて、そこからが小林の力量だ。仏教の来世などは賢しらな作りごとに過ぎないとする宣長の死は、本書冒頭詳しく描かれるように安心の中で、緻密な遺書によって死に先立って用意されている。この安心がなぜ可能だったのか。私はすっかり消耗してしまい、今、小林さんの力技を要約してご紹介はできないが、小林は自身の老いと死の予感の中で、宣長の安心とは何だったのかを辿ろうとし、渾身の力を振り絞る。もののあはれの極点に、死の悲しみがある、死は自らがこの世を去る事としては誰にも体験され得ず、愛する者が還って来ないという形でしか体験し得ない、死という「物」の正体はその悲しみの中でしか出会えない。ここで古道と物のあはれを感ずる道とが一つになる。そしてその安心とは……。

いや、肝心なところが言葉にできない。何しろ、その安心は宣長の身近にいた門弟達にも理解できなかったというのだから。が、小林が狙った線は、今私には分かっているのだ。

しかし、もう止す。明日再読しよう。

今年初の書く仕事、そちらは昨秋からの懸案、森繁久彌著作集の解説の仕事だ。宣長の後に森繁さんを読むと、やわらかい常識のばねで自在に伸び広がり、嘘というもののない森繁さんの文体のありようは、宣長そのものではないかと思わせる所さえ多い。

III

長谷川三千子『からごころ』解説

ある日、一冊のささやかな本が私の前に現れた。

平成改元から程ない頃の事だったと思う。当時私はまだ学生、濫読盛りの年頃の事とて、その日も大学をサボり、行き付けの喫茶店で日がな一日本を読んだり友人達と議論をした後、古書肆や本屋をぶらつきながら、私はその本と出会ったのだった。その時の事ははっきり覚えている。ぱっと開いた頁に見つけたこんな一節が私を異様に興奮させたからだ。

小林氏がこころざしたのは、ただ、本居宣長を、出来るかぎりこまやかに、なぞつて繰り返さうといふことであつた。

このやり方を見て嘲笑ふ人もある。今日の学者や批評家は、「まなぶ」といふことがもともと「なぞつて繰り返す」ことであつたのを忘れてゐて、それを何かひどく単純でつまらぬことのやうに思ふのである。しかし、「なぞつて繰り返す」といふことは、本来、ただ複写機のボタンを押して紙の出て来るのを待つやうなことではない。「解釈」といふことの内にすでにひそむ我執を、洗って洗って洗ひつくして、自分が何の変哲もないただの板切れ一枚になつたとき、突如それを共鳴板として「宣長の肉声」が響き出す――さうなつたときがおそらく、小林秀雄氏の『本居宣長』を書き始めたときであつたらう。（三二一頁）

今ではもう誰も忘れてしまったようだが、当時日本の思想界はポストモダン全盛期、デリダやフーコーの「複写機」になつて、それが価値破壊という新らしい「普遍性」だと勘違いしている人達ばかりが闊歩していた頃だ。まさに本書に言う「からごころ」の典型である。語彙こそ難解だが、よく読めば、全く自分で物を考えていない平板極まる文章の数々に、私は心底うんざりしていた。勿論、小林秀雄（こばやしひでお）は、偶像破壊のいいカモだったのである。そうした時代思潮の中、小林の方法をこんなにも的確な球筋で指摘できる若い著者に出会った私が、どれ程驚き、喜んだ事か。

この第一印象は、通読しても全く裏切られなかった。それどころか、全編心底に届く言葉、言葉、言葉だったと言っていい。全く珍しい事なのだが、私はすぐさま著者に手紙を出した。その頃の私は、昭和戦前の文士を気取って無頼のような日々を送っていたが、大学を出て街にそのまま飛び出す程の勇気はなく、大学院に入ることで、無頼生活を続けようと横着な事を考えていた。あろう事か、私は、たった一冊読んだだけで、私の専門と関係のないこの著者こそ、大学院での我が師と勝手に思い定め、これから試験を受けて是非先生の教えを乞いたいと書いたのである。

著者からは丁寧な返事がすぐにきた。「生きてゐる師を求めるな。死んでしまつた師の中にしか本物はゐない。生きてゐる者に求めるべきは、寧ろ、切磋琢磨する友であつて、師ではない」と書いてあった。原理的な人生論の直球勝負。……

いうまでもなく、この著者が長谷川三千子（はせがわみちこ）氏であり、私が出会った書物こそが、『からごころ』である。本書に収められた論考はいずれも長谷川氏三十代後半の仕事、今回文庫化に際しても、一切修正は加えられていないと聞く。改めて再読して、驚かざるを得ない。問いや論旨の鮮烈さは若き俊秀（しゅんしゅう）らしいと言いもできよう。が、文体全体を静かに包み込むこの成熟は一体何なのか。処女作に、作者の全てが現れるという言い方があるが、ここにあるのは、長谷川氏の後年の思想的な展開の可能性ではなく、寧ろ、既に、完璧な問いを最も完全な姿で出すことに最初の著書で成功してしまった、若さの奇跡である。

*

本書の最も重要な論考が冒頭の「からごころ」であるのは、いうまでもない。が、どう重要なのかを合点するのは存外難しい。長谷川氏は、この論考で、本居宣長（もとおりのりなが）の「からごころ」論を引用し、それを読み解く小林秀雄の文体をなぞりながら、宣長の「からごころ」論と小林の読みの交点を、古代日本の言語経験としての訓読に見出している。その辺りから、訓読の構造を丁寧に解きほぐしつつ、それと背中合わせとなる仮名文字の発明の意義を明らかにしてゆくくだりは、本書の中でも、とりわけ鮮やかな箇所で、私が、今更のようにここで解説を加えるまでもない。が、以上の議論から氏が辿り着いた先はどうだろう。

「無視の構造」は、たしかに日本文化の根本構造であり、もつともすぐれた特質をなしてゐるものである。けれども、そこには底知れぬ「おぞましさ」が、ぴつたりと背中合はせになつて張りついてゐる。（略）それは、自らでないものを自らと取り違へて生きることの醜さ、とても言ふべきものであり、ひとたびそれに気付いてしまつたらば、二度とその中で息をするに耐へない類の醜さなのである。（六七―六八頁）

つまり、氏が辿り着いた場所は、訓読や仮名文字という、日本を日本たらしめる上で最も決定的な民族固有の発明が、同時に、日本人が日本人であることを喪失してしまう「からごころ」の、構造的な源でもあるという結論だった。

これ以上ない程鮮やかな結論だ。が、同時に、絶望的な結論でもある。最も優れた固有の特質がそのまま同時に「二度とその中で息をするに耐へない」程のおぞましさでもあるとすれば、我々は、我々自身を本当に失う事によってしか、そこから脱却できないということになるからである。

そして、恐らく、だからこそ、日本人は長い歴史を通じ、日本人であることを忘却して生きてきたのである。その日その時に美であると信じ、普遍的価値だと信じたものに疑いもなく自己を重ね合わせ、そのあり方を自ら問う事なく生きてきたのである。するとどうであろう、後世から振り返れば、その、無意識の堆積とでもいうべきものが、世界史でも類稀な、日本の伝統美というタペストリーとなって現出するではないか。ならば、それでよくはないのか。美徳と悪徳がコインの表裏であるというだけならば、それは、どんな民族や個人にも言える事なのだから。

——

つまりこういう事だ、実は我々が本当にここで出会う問いは、寧ろ、なぜ、長谷川氏は、日本文化の中から、このような逆説をあえて取り出し、こだわらねばならなかったのか、という事の方なのである。

そして、勿論、氏はその理由をはっきりと書いてくれている。

たとへば今、「日本国憲法」の内にあるおぞましさなどといふものは、人の目に露はになつてはゐない。(略)けれども、いづれ何時かは、この憲法全体を貫く精神のおぞましさ、或はむしろ、全体を貫く精神の無いことのおぞましさが、人の心を蝕み始める時が来る。その時に如何したらよいのか、その時我々は如何生きたらよいのか――我々にはまだ全くその備へが出来てゐない。考へれば身の毛がよだつほど全く出来てゐないのである。（六九頁）

小林や宣長を杖にして日本精神の逆説を明らかにする知的営みの前に、長谷川氏には、自身が生れ育った戦後日本への強い違和感があった。「人の目に露はになつてはゐない」内から、氏はそれを感じ続けていた。氏の営みは、そこから出発したのである。だからこそ、氏は小林が宣長の「からごころ」を引用するに当って、最初と二度目とで全く違う印象を語っている事を発見できたのである。氏自身が本当に何かに引っ掛かっている、だから小林の引っ掛かりが、氏にも見えたのだ。こうして氏は、小林が宣長を通じて垣間見た古代日本の言語経験の問題に出会う事ができ、日本文化についての極めて独創的な知見に到達し得た。だからそれは日本論というフィールドでの、知的レジャーの一例とは全く異なる。古代日本人の言語経験の独創性が、氏の中で形をとって鳴り響くのと、戦後のおぞましさの正体がありありと氏に見えてくるのとは、同じ事柄の表裏だった筈なのだ。

したがって、逆に、今引用したような日本国憲法批判が、一般に氏もそこに属すると見なされている政治的な保守派、右派知識人らによる戦後レジーム批判の多くとは、似て非なるものだという事にも注意を促したい。保守派の戦後批判は、基本的に、東京裁判史観、日本国憲法などへの外在物批判の形を取るが、本書での長谷川氏は、「おぞましさ」のそうした外在的な原因ではなく、それを生み出してしまう日本人側の精神のありようを問題にしているからだ。

その意味で、「いづれ何時かは、この憲法全体を貫く精神のおぞましさ、或はむしろ、全体を貫く精神の無いことのおぞましさが、人の心を蝕み始める時が来る」という予言は、こう読み直さねばならないだろう、GHQ政策や戦後イデオロギー批判を幾ら繰り返しても、「全体を貫く精神」を取り戻さない限り、「おぞましさ」から我々を救う事にはならない、我々は一体いつになったらそれを始めるつもりなのか、と。

＊

紙幅が尽きたので、以下、駆け足で、解説子として最低限の任を果たしておく。前半の「やまとごころと『細雪』」、「『黒い雨』――蒙古高句麗の雲」は、文藝評論としても一級の仕事で、読書人をして、長谷川氏に以後この分野の仕事のない事を惜しませるに足る。しかし、これらの作を貫く通奏低音は、「からごころ」同様、戦後の「おぞましさ」への違和感であり、問題意識の射程は完全に重なると言っていい。その意味で、より今日的に注目に値するのは、後半の二つ、

「大東亜戦争「否定」論」と「「国際社会」の国際化のために」であろう。これらの論考は、単なる戦後批判ではなく、寧ろその先、つまり日本精神の逆説を肯定的に発露させる可能性を論じているからだ。これらは「全体を貫く精神」を取り戻す為に、氏が一歩踏み出した試論として、依然新しさを失っていない。

私は、長谷川氏に「生きてゐる師を求めるな」と窘（たしなめ）められたエピソードから稿を起した。再び、この言葉に戻って解説を閉じるとすれば、読者よ、本書に答えを求めるな、という事になろうか。本書を、氏の一見読み易い文体に騙されず、鮮烈な答えに満足する事なく、氏の問いの異様な鋭敏さに身を重ねて再読三読してみよう。読者は、随所に、今なお誰も答えに近づけてさえいない様々な問題を見出して驚くに違いない。

その時、初めて、この小さな著書は、読者の精神の中で起爆する事になるであろう。

山本七平『小林秀雄の流儀』解説

熱い本である。

混沌の書と、言ってもいい。

山本七平(やまもとしちへい)には珍しく、ユニークな発想を単刀直入に読者にぶつける「山本節」は、ここにはない。

始めの章が、摑(つか)みのいい文章でテンポよく運ばれるので、この調子が二章以降も続くのかと思いきや、寧ろ、章を重ねる度に、山本の筆は逡巡し、蛇行し、飛躍し、逆行し、まるで迷路のようになってゆく。いや、時には、まるで迷路の中にまた迷路を置くような趣さえある。

通読された読者は、読後、迷路のどこかに出口がありそうで、結局、出口のないまま本文だけが終ってしまったような、少し茫然たる感想を抱いたまま、今、この解説に目を走らせておられるのではあるまいか。

では、本書は失敗作なのか?

そうとも言える。

単純にはそう言った方がいっそさっぱりした答えかもしれない。

だが、混乱は手抜きとは全く違う。

山本七平ほどの人間が、小林秀雄に体当たりで物を書こうと思い、それが混乱を呈しているのであってみれば、それには、それだけの意味がある、そう積極的に受け取って悪い理由はないだろう。

いや、寧ろそう受け取って、懸命に文意を辿ることこそが読書本来の面白さなのではあるまいか。

今や、書店に並ぶ本の殆どは、著者が仕入れた知識を、読者の口当たりいい体裁に仕立て上げ、一冊読めばある知識を習得できるような本――教養や思想に関わる本でさえ、多くはそうなって久しい。

それが悪いと言うつもりはない。科学技術の暴走的な発展、環境破壊、グローバリゼーション、ポスト冷戦、ポストアメリカ一極支配、IT革命、AI革命、遺伝子技術、経済現象の複雑化などが輻輳（ふくそう）する状況に、知識で対処するのは、どの道必要なことである。私も、信頼できる外交・経済・軍事・科学技術を専門とする友人達の出すそういう本には、随分世話になってもいる。的確な知識を持つ専門家らの最新の知見を明快に読者に届ける書物が有益でない筈はない。

しかし、また、変化の激しい時代だからこそ、表層に流されずに原点にこだわり、自分が何にこだわっているかにこだわり、こだわっているものを見失わぬ為に、それを必死で追跡する――そういう知のあり方に接する事が、一層深く必要でもあるのだ。

なぜか。

幸か不幸か、我々の時代は、激変こそが恒常的な生きる条件になってしまっているからである。ドッグイヤーという言葉が流行したのは、もう二十年以上前の事だ。犬は人間の七倍の成長速度を持つが、最近の人間社会の成長は一昔前に較べれば、犬並のスピードで進化しているという意味である。変化はそれから更に、累乗的に加速した。五年前に較べ、いや三年前に較べてさえピッチを上げている。

今や、我々は巨大な加速器の中で攪拌（かくはん）されながら生きている有様なのである。するとどういう事になるか。そこまで変化が恒常的で、加速し続けているとなれば、実は、もう、変化に対して一々知識の俄仕込みで対抗したところで、本当は何一つ間に合ってもないし、本当に理解したという訳でもないという事にはならないか。

今年出版された「世界情勢早分り」は、来年になれば、紙屑に過ぎない。世界情勢だけなら毎年買い替えればいいだろうが、それが、ハイテク、アベノミクス、歴史認識、マイナンバー、移民、テロ、日本の安全保障……一渡りの知識をその都度、早分り本で補うような物の知り方をしてみても、所詮、すぐに古臭くなる知識が、頭の中で次々に置き換えられてゆくだけに過ぎない。

しかも変化の速度は上がり続けるのである……。

もし、あなたが、そういう「知」のヴァリエーションの一つとして、本書を手に取られたとしたら――『「空気」の研究』の山本七平が、小林秀雄を料理しているなら、さぞや、難解を以てなる小林の輪郭が、要領よく理解できるに違いないというつもりで本書を手に取られたのだとしたら、まことに幸いだ。

なぜならば、本書は、山本ならば簡単にできた筈の「小林秀雄早分り」の道を徹頭徹尾取らずに、読者の前で、小林に対して、知的な真剣勝負を挑んでゆく、その生々しい思考の現場をあえてさらけだすことで、あなたを激変する知識の渦から救出する格好の道場たり得ているからだ。

＊

本書は、昭和五十八（一九八三）年、小林秀雄の死を受けて書かれた追悼文から起稿され、それを機に書き継がれて、一冊になったものだ。

山本は小林秀雄（こばやしひでお）の死の直後、小林と縁の深かった文藝誌『新潮』から追悼文を依頼され、二つ返事で引き受ける。

読者が本書冒頭に見られる通りである。

そして引き受けた後にはたと気付く。

なぜ、小林秀雄を一度も論じたことのない自分に、小林の追悼文の依頼がきたのだろう、と。

何かの間違いではないか。

しかし、一方でそれを当然のことのように引き受けた自分に、驚いてみせる。

そうした彼に向かい、内なる声が、ささやく。


　お前はなんでそんな衝撃をうけている。見ず知らずの人、今まで本当に無関係な人なら、路傍の人の死の如く全く心動かされずにいたはずだ。衝撃を受けていないとは言わせない。今まで、原稿の依頼をうけて、そんな状態になったことが一度でもあったか。(九頁)

『私の中の日本軍』に明らかなように、軍の「下っ端の下っ端」として行軍した経験によって、我々の中に潜む、最も醜悪な部分への強烈な憎悪と反発抜きに、「日本人」を語ることができなくなった山本にすれば、これは「日本人」への異例の素直さ、異例のオマージュだ。

だが、なぜ、山本には、小林秀雄の死がそれほど衝撃だったのか。

それもはっきりと書かれている。

人がもし、自分に関心のあることにしか目を向けず、言いたいことしか言わず、書きたいことだけを書いて現実に生活していけたら、それはもっとも贅沢な生活だ。そういう生活をした人間がいたら、それは、超一流の生活者であろう。もう四十年近い昔であろうか、私が小林秀雄の中に見たのはそれであった。そして私にとっての小林秀雄とは、耐えられぬほどの羨望の的であった。(一〇頁)

なぜ小林は書きたいことだけを書き、好きなことだけをして、かつ現実に生活者としても破綻しないで生きていられるのか。若き日の山本は、この堪え難い羨望の秘密を探るべく、小林全集の熟読に励んだというのである。

その結果、何が見えてきたか。山本によれば、それは、結局のところ、小林における「常識」と「したいこと」との関係の取り方だった。

「常識に溺れず、常識を把握して自覚的な生活で常識という原石を磨く」――小林にはそれができた、それが小林の流儀の秘密だ、山本はそういう。

だが、それなら、常識という原石を磨く生き方とは何なのか。常識に溺れず常識を磨くというが、溺れると磨くとは一体どう違うのか。

山本はここで絶妙の筆の返りを見せる。

小林の『考へるヒント』から、福澤諭吉の「怨望は衆悪の母」という言葉を孫引きして、「怨望、恨みや不平が小林秀雄にはまったくない」と話を転じてみせるのである。

いうまでもなく、「本当にしたい事」が、「もしやれるならやりたい事」ではなく、「本当にしたい事」ならば、断念という選択肢はない筈だ。「やりたいが出来ない」という選択は、そこには生じない筈だろう。そしてその時、その人の意識は、自分がやりたい事をどう成就するかだけに集中しているだろう。条件の不足や周囲の悪条件、悪意、無理解などに対する「恨みや不平」を持つ暇など、彼には無論ない。もし、やれなければ、周囲や条件がどうあれ、所詮、自分がそれをやれなかったというに過ぎない。そうならぬ為に、彼はあらゆる工夫を傾け尽くす事だろう。

こうして、「本当にしたい事」に領された時、人は、「恨みや不平」を持つ暇なく、したい事の成就に心を集中するのであり、一方で、無思慮に世の常識をぶち壊す生き方をも採らない。いうまでもなく、常識をぶち壊せば「本当にしたい事」ができる環境もまたぶち壊しになるからである。

かくて、これが山本七平が小林から偸んだ、「超一流の生活者」たることの三角関数だったのである。

ところで、この話はこれだけで終らない。

山本七平は、小林秀雄がなぜそのデビューから最後の大作『本居宣長』まで、半世紀にわたって、社会に対する衝撃であり続けられたのかをも問いかける。この問いは、文藝評論家の書く小林秀雄論には余り持ち出される事のない主題である。しかし、考えてみれば、これは重大な問いなのである。

小林秀雄は、生涯、彼自身が開拓した文藝評論の世界から、より広い世間に身を乗り出した事など、一度もない人だ。政治はおろか、ジャーナリズムの流行や自己宣伝とは全く無縁に、その時自分がやりたい主題のみに没頭するだけだった。

その小林が、なぜ、生涯社会的な衝撃であり続けたのか。

小林秀雄の後を追う者は無数に現れ、極めて優秀な人達が、小林の後継者たらんとしながら、結局、誰にもそれは果たせなかった。それどころか、小林秀雄の名声によって、文化の花形にさえなった文藝批評は、逆に、小林の死後たった三十年で、今や、ジャンルそのものが消滅の危機に瀕している始末である。

その意味で、小林秀雄を社会的衝撃の側から読み解こうという山本の試みは、予言的な問いだったのだと言っていい。

もっとも、彼が与えた答えそのものは、一見単純なものだ。

それを山本は小林の内的感覚に求める。

山本は、敗戦後、再軍備問題で意見を聞かれたときの小林の言葉を引用する。

敗戦といふ大事実の力がなければ、あゝいふ憲法は出来上がつた筈はない。（略）戦争放棄の宣言は、その中に日本人が置かれた事実の強制で出来たもので、日本の思想の創作ではなかつた。私は、敗戦の悲しみの中でそれを感じて苦しかつた。（三三一頁）

そしてこう続ける、「戦後、己を奪われた戦後に対して苦しいと言ったのは、私の知る限りでは小林秀雄だけである」と。

明治であれば、例えば、福澤諭吉は単なるヨーロッパ輸入論者などではなく、強制された開国という事実を、自分の足で立ちながら受け止める思想家だった。それが福澤の「私立」だった。遡って、江戸時代初期も、徳川幕府によって戦国時代の「下剋上」の終焉という事実が強制されたわけだが、そのとき、やはりその事実を受け止め、己の思想に育て上げる大きな一歩が、中江藤樹（なかえとうじゅ）によって歩み出された。

では、アメリカによって強制された事実に対して、「私立」の思想の営みはどこにあったか。山本は、戦後日本にそんなものがあったかどうか、甚だ疑はしい、小林秀雄の『本居宣長』を除けば、とまで極言する。

そして、与件として強制された「事実」に対して、精神の足で立ち続けたがゆえに、小林秀雄は、「事実」に押し流され、「常識」に溺れ続ける戦後日本社会にとって、「衝撃」であり続けたのだ、山本七平はそう言うのである。

山本による小林秀雄の摑み方のユニークさはここにある。

「常識に溺れない」小林秀雄の私生活者の智慧と、「強制された事実に抵抗する」文学者としての小林の「私立」の強さ、そして小林の「社会的な衝撃」とが、実はバラバラな現象なのではなく、切り離しようのない小林の個性の本質だと喝破した。小林の社会的衝撃を追う者は、ジャーナリスティックな肖像を切り取りたがり、文藝批評家としての小林を追う者は、小林の影響力の大きさは測らない。この、全人として打ち出された小林像は、オーソドックスなようでいて、実は、稀なのである。

＊

ところが……。

調子がいいのは、何とこの最初の章だけなのだ！

第二章に至るや、筆は早速、蛇行を始める。

第二章では、小林秀雄の「分る」についての押し問答風のやり取りの中から、山本の筆は美術に向かい、その筆は、小林が最も力を入れたゴッホに落ち着く。ゴッホの《鴉のいる麦畑》の有名な描写の中から「旧約聖書の登場人物めいた影」を目ざとく見つけたのは、如何にも聖書研究者の山本らしいが、事を、ゴッホが熱烈な神学生だった事に絡め始めると、話は、際限なくならざるを得ない。小林は「旧約聖書の登場人物めいた影」についてどのような形であれ明示的な責任を取る書き方はしていないし、ゴッホが取り憑かれたのは旧約の登場人物ではなく、イエスだからである。実際、《鴉のいる麦畑》から旧約の人物、神学生ゴッホへと辿る筆は、すぐに行き詰まり、一旦退却となる。

が、とにかく、ここで、努めて聖書に踏み込もうという山本の小林論の一つのスタイルが示されたことになる。

そうなれば、当然、本命はドストエフスキー論という事になろう。

実際、支離滅裂な第二章の後、筆はドストエフスキーに向かう。

そして、今度は、ゴッホの時とは違い、山本の筆は畳みかけるように執拗だ。議論は確かに分りにくい。しかし、彼が何かを摑んだのは間違いないようだ。

第三章冒頭、山本は、小林の『ドストエフスキイの生活』がパウロの引用に終る事に、読者の注意をまず向けてみせる。そして、そのまま、話は、パウロから、イエスの復活へ、イエスの復活から、今度は何と、ドストエフスキー自らが処刑の寸前に、特赦によって刑死から「復活」する経験へと、連想の環を繋ぐ。

そして、その先に、恐らく、『小林秀雄の流儀』中、最も刺激的な場面が登場する。

小林秀雄が、『死人の家の記録』で、「作者の隠したのは、聖書熟読という経験であった」と述べているのを踏まえ、山本はこう書くのである。「聖書の中で、ドストエフスキーに最も強い衝撃を与えたのは使徒パウロのはずである。だがドストエフスキーは、それを隠した」。

驚くべき独断という他ないだろう。

そもそも私は、小林のいうように、『死人の家の記録』で作者が聖書熟読の経験を隠しているとは全く読まないが、山本の断定に至っては論外である。ドストエフスキーの聖書体験の中核にあるのは生きたイエスだ。『白痴』を持ち出し、大審問官を持ち出すまでもない。そのドストエフスキーが、イエスを教義化したパウロに、獄中で、改めて「衝撃」を受ける筈がない。

ところが、不思議な事に、この完全に確信犯的な山本の「独断」は、なかなかどうして、第三章、第四章辺りを繰り返し読んでいると、天才的な着想でもあると思わざるを得なくなる。

山本が、あえてパウロに固執する時、冷酷なキリスト教の弾圧者から、復活したイエスの霊体にまみえて改心し、今度は事実上キリスト教の創始者となった男の、独自の不安定さは、確かに、イエスの静かで真っ当な佇まいよりも、ドストエフスキーの世界の住人達の狂気と不安に、深く同調し始めてくるからだ。

この辺から、「プネウマティコン」、ラスコーリニコフ、ネチャーエフ事件、スタヴローギン、ジョージ・オーウェルの『一九八四年』、あさま山荘事件などへと連想を繋ぐ場面は、最早、解説が追うには煩雑過ぎ、本文について丹念に理解していただく他はないが、ここでの山本の筆も、決して何かを探り当てたり妥当な結論に辿り着いたりはしていない。

あっちの道を掘っては、進む所まで進めて、突如放り投げ、今度は別の穴倉にそそくさと潜り込む。小林ともドストエフスキーとも関係ないなあと思いながら読んでゆくと、本当に関係ないまま終って、著者は、とんでもない方角から地上に這い上がってくる。それをまた放り散らして、別の穴を……、一見筆はそんな風に進み続ける。

最初は度肝を抜かれるが、第三章、第四章だけは二度、いや、三度は繰り返し読み直されるように。

すると何が見えて来るか。

いや、少なくとも、私には何が見えて来たか。

……神の使徒だと確信した者に罪はあるのか？　キリスト者ならば罪にならぬが、それが革命家ならば罪になるのか？　善を目的とするようでいて、実は善悪を越えた力としてのプネウマティコンに人間が取り憑かれる、この旧約から現代の革命に至るまで、人間社会を吹き荒れる神の風という「実在」、合理主義が覆いをかけても隠しきれないこの実在は一体何なのか——ドストエフスキーと聖書と小林の言葉が燦爛と照らしあいながら、そうした問いを言葉で演じている様が、私の眼に、ありありと……

最後に。

この、甚(はなは)だ黙示的な一著を苦労しながらも読破された読者の為に、上質のデザートをご紹介しておきたい。

山本が繰り返し引用に使っている小林の『「罪と罰」についてII』(『小林秀雄全作品 第16集 人間の進歩について』)と『「悪霊」について』(『小林秀雄全作品 第9集 文芸批評の行方』)の全文である。

本書と格闘された読者なら、通読する小林秀雄の論文が、世に言われるように難解なものでないことを実感されるだろう。

それは小林自身が熟読を重ね、分ったところまでを書いた、極めて明晰な文章だ。さすが達意の名文である。

山本七平は、あえて逆に出た。

この御仁、わざと、分らないことを、分らないまま書き続けたのである。

何と面白い人だろう。

こういう渡り合いを面白がらずに、何が読書だろう。

そこで読者諸賢に借問(しゃもん)——時代の表層を解説する本をあれこれ齧(かじ)るよりも、こういう言葉の修羅場で脳を揉む方が、世界を見る眼も、世間を生きる智慧も、余程、磨かれると私は思うが、如何?

森繁久彌コレクション第三巻『世相』解説

「誇りとは何だろう。
それは一国の文化の高さをいうものではないだろうか。」(六〇頁)

Ⅰ　筆に随って――豊かな人生語り

本巻「遺言を書かぬわけ」の中で、森繁が自ら紹介している結婚式の祝辞が面白い。

「新郎は針です。この社会を縫ってゆくためには、鋭利な針でなければいけません。しかし、針だけで縫い進んでも実りはありません。結婚というのは、縫う力がついた時に、その針のメドに糸を通す行事のことではありますまいか。糸は柔軟なほど素晴らしいのです。針である夫の進んだあとを、ホツレないよう縫いとどめてゆくのが、この式で伴侶となった糸、すなわち新婦の役目と私は考えます。しかし、当節は世の中も変わって、女だけが一人、針金のようになって生きている人もあります。また中には、どう間違ったのか、女が針に変わり男がクズ糸みたいにメドにぶらさがって、ちぎれたり、からまったりして生きているものもあります」

こうスピーチして、得意顔でなみいる若者を見渡したら、シラケた目がいっせいに私を見返しているのに慄然としたことがある。（四三一頁）

森繁は、男女同権が結局どうしたザマにしかならないかを痛烈に皮肉った。御本人としては効き目のある冗談のつもりだったが、冗談として通用しない程、この文章の書かれた昭和五十四（一九七九）年当時、「針金女」と「屑糸男」が既に若い世代を領していたというのがオチである。そして、森繁はこう慨嘆する。

全くメチャクチャの世の中だ。（…）ウーマン・リブとはゲに恐ろしいものゾ。夫唱婦随の大正っ子など、ふるえ上がるほどのものだ。（四三〇―四三一頁）

ウーマンリブも、今ではラディカルフェミニズム、ジェンダーの倒錯的用法によるジェンダーフリーから、セクシャルハラスメント、ポリティカル・コレクトネスという名のファシズム、そして#MeToo運動という一方的な男狩りへと更なる進化を遂げ、「ゲに恐ろし」く、「ふるえ上がる」だけでは済まなくなり、男の体を纏っている以上、いつ痴漢冤罪に遭い、同意ない性交を糾弾されるか分らない「全くめちゃくちゃの世の中」になりおおせた。

黒柳徹子(くろやなぎてつこ)さんが「森繁さんは会う度に『ねえ！　一回どう？』と囁き続け」た事を微笑ましいエピソードとして紹介しているが、今やそんな話は微笑ましいどころか、俳優なら廃業、政治家なら失脚、会社員なら失職、妻子持ちなら一生かかっても払えぬ慰謝料を背負い込み、「めちゃくちゃ」どころか「地獄絵図」の人生が待ち構えている事、必定である。

世の中は「針に変わった女」と、「屑糸」になったが「メドの穴」は見つけられぬまま童貞を余儀なくされる中年男の山、山、山となった。

それでもまだ不足なのか、マスコミとインテリはもっとやれ、もっと男を叩きのめせと狂喜乱舞の昨今である。

人と人がいて、男と女がいる。

外に出て交際を広げれば、嫌な奴がいて、敵がいる。

好きになった男には冷たくされるのに、虫唾(むしず)の走るような中年男にエッチな目で見つめられる。

仕事で組まされる上司や部下に限って言語不通、異星人のような奴が配属される。爺さん、婆さんは嫌味を垂れ、一方若者は意味もなく粋がり、恥ずかしい青二才ぶりを発揮する。——人が人として生きている以上、人間関係などすべてこれ、ハラスメントならざるものはないのである。その中で、辛うじて言葉の分る奴、気の合う奴を見つけて厚誼を結び、やっとこさ見つけた相思相愛の——まあ自分相応の——相手と結婚する。同級生、ママ友達、会社の上司、部下とのシンドイ関係を辛くも切り抜けながら、居心地のいい自分の居場所を何とか見つけ出す。

一体、そうした工夫の外に、人生を生きる「意味」など、どこかにあるのだろうか。

ハラスメント、つまり人と人との軋轢、違和感のない無菌室で、権利という麗々しい名前のついた「身勝手」と「独善」を主張する者ばかりで構成された社会で、一体誰が幸せを摑めるのであろうか。

森繁の結婚式の祝辞など、今ではこれ自体、セクシャルハラスメントと糾弾されるに違いない。

いや、本書全部が、まさにこれ、今の「人権感覚」から見れば、ハラスメントの塊に違いない。

無論、だからこそ、正しいのである。

だからこそ本書は読まれるべきなのである。

森繁のこのエッセー集は、過ぎ去った一時代の価値観の集積などでは決してない。

まして、一代の名優の余興などではない。

ここには、俳優の余業などという「屑糸」のような文章は、それこそ一つとてない。

どこを取っても、ここにあるのは、一人の人間の豊かな肉声である。豊かな人生語りである。

読者を前に、いや、まずは森繁自身が自分の声に聞き惚れながら、何かを一心に語ろうとする掻き口説きである。

それだけが、ここにある。

本書は没後十年を期して刊行される『全著作〈森繁久彌コレクション〉』全五巻中、『世相』と題された第三巻だ。第一巻の「自伝」や第二巻の「芸談」ならば、他の俳優にも優れた随筆はあるだろう。沢村貞子、池部良……などの名がすぐ思い浮かぶ。が、世相となるとどうであろう。世を論じ、社会を論じ、国家を論じるのは危険な業である。時の政治を批判するのは易しい。自分を棚に上げて政府に難癖をつける事なら、誰でもやっている。が、社会を語るとなればそうはゆかない。今、そこに横行している世の大勢を批判する事だからである。下手をすれば袋叩きに合う。まして大衆の人気に支えられた俳優の業であっては、仕事の上で敬遠され、ひどい場合は干されかねない。

が、森繁の筆は、躊躇(ちゅうちょ)も屈託(くったく)もない。かと言って、偉そうに世を見下す尊大さもまた、微塵もない。

皮肉はそこここで炸裂するが、情の厚み、人の大きさがその背後で言葉を大きく包み込む。社会評論ではなく、あくまでも「随筆」の味わいだ。

随筆は文字通り「筆に随う」で、森繁さんの文章はいかにも洒脱、苦渋の跡をまるで留めず、余談が余談を呼ぶ風で、筆が走り、書き手の森繁さんはその後を文字通り「随って」ゆく。ここでは「文意」が先立つのではなく、「筆勢」が言葉を生んでいる。「随筆」という、今では殆ど死滅したジャンルの本来の力、本来の言葉の呼び覚ましが、全巻充満している。

読者は時に笑い、時に目を剝き、時にほろりとさせられながら、この筆に随う一人の男の自在な肉声を追うてゆく、気づけば全く夢中に。いつの間にか頁を繰る手ももどかしくなる自分に驚きながら――。

II　嘆きのユーモア

森繁の散文は、決して洗練されたものではない。同時代に妍を競っていた大作家達の美術品のような随筆とは、明らかに違う世界である。川端康成の『美しい日本の私』や小林秀雄（こばやしひでお）の『考へるヒント』、永井龍男（ながいたつお）や幸田文（こうだあや）の散文を頂点とするような、随筆文学の「神品」とは、森繁さんの「随筆」は寧ろ対極にある。これら作家らの「随筆」が追求した文筆の精華や、言葉の美の粋は狙われていない。

森繁の筆が紡ぎ出す言葉は、日常の暮らしの中での愚痴であり、おどけであり、言葉に窮して吐かれる呟きであり、いつもたくましくそこに存在している大人の「常識」である。

いいや、それでは言い足りぬ。「常識」を語る彼の「肉声」の確かさこそが、森繁さんの随筆の身上であろう。読みながら、その肉声は、いつの間にか、映画や朗読で親しい、あの森繁さんの声そのものに変ってゆく。


文豪、井伏鱒二氏の名作「山椒魚」を、先生からの御依頼で、テープに吹き込んだ。吹き込んだと言えば簡単だが、読む私は月余の苦闘をしたのである。

冒頭〝山椒魚は悲しんだ〟の一行が、何としても出てこない。NHKの名作座を三十年もやってきた私だが、迷いがきてこの一行が口を出ないのだ。物みな嚆矢に依って始まる――が、うまくゆかないのだ。それゆえ、その後が読めない。

この文章全体に匂う山椒魚の体の香りや、せせらぎの音、山の香り、洞窟の中の匂い――が、浮かび上がってこない。

このコクのある名文に土下座したのである。聴覚の芸術は、これまたむずかしい。第一、私の難関は〝間〟である。

昔、徳川夢声さんは、NHKで「宮本武蔵」を読んで満都の人を魅了した。私は一生懸命、夢声の話術の研究をした。

元来、耳から聞くことは、文字を追って読む時のイマジネーションよりいささか遅れ勝ちのものである。例えば〝がらりと寺の戸を開けた〟と読めば、すぐにも古寺の重い戸が想像出来ようが、声だけで聴けば（ラジオの場合）その目で読む速度では早すぎる。（…）

いやはや、コクとは、何とも遠い難しい問題である。（二二七―二二八頁）

「山椒魚は悲しんだ」の一行に苦心惨憺となる事ができるという事――それこそが森繁の俳優としての凄みであろう。そうして鍛えられた肉声が、筆に随って、森繁さんの楽屋から流れ出た時、それが森繁「随筆」の豊饒となる。

先の結婚式の祝辞にしたところで、読んでいる内に、紙の中に折りたたまれていた活字はいつの間にか、祝辞を読み上げる森繁さんの聲に変じ、更には、ウーマンリブの先にどんな社会が到来するかを苦さと痛みで慨嘆する森繁さんの少しおどけた憂い顔へと読者を誘う。

が、その嘆きには花がある。そして苦いユーモアが漂う。

本巻冒頭の一篇「顧みて若者を論ず」など、森繁さんの心の柔らかいばねが、そのまま形となった名文であろう。

家にぶらりと泊まりに来る二十五、六歳の遠縁の青年について、森繁は次のように書き出す。

学校も満足に出たかどうか、目下何をしているのか、去年も一昨年も何をして暮らしていたのか。これもとんとシャッキリせぬヘッポコ男子である。
ついでにいうなら、頭が良いのか悪いのか、何を考えて生きているのかも判然としない奴で、ただ取り柄といえば、人懐っこい猫のような柔軟さとカラスのような図々しさをナイマゼにした――これを現代風若者というなら、未来はお先真っ暗で、年寄りの俺からみれば滝にでもうたしてミソギでもさせてやりたい奴である。（二六頁）

この青年を説教しようとしてうまく丸め込まれて呆れ返る森繁一流の小噺（こばなし）が続くのだが、その老いの繰り言のあとに、森繁は、ふと自分を省みる。

さて、あのダラテー（その青年の事）が笑えるかどうか――と、私の青春をふりかえってみるのだが、よくよく思い出してみると、さして変わらぬ愚劣、蒙昧なアレコレで満ち満ちていることに、冷や汗を流すのだ。
国を憂いたこともないし、家を憂いたこともない。ましてや他人さまから褒められたことなど、思い出をいくら繰っても残念ながら一つもない。ダラテーと同じ年ごろ、有楽座の衣装部屋の隅で習いおぼえたオイチョカブやコイコイで、芝居をとちるほど銭を巻き上げられ、あげくのはてが楽屋の廊下に並ばせられ、「きさまら楽屋を何と心得おる！」とロッパ親父からビンタを食っていたのだ。（二一四頁）

そして、森繁は、遂にこう言う。

親に孝に、国を愛し——は、青年の世界には今も昔もなかったのかもしれない。あれは年をとったものが、こうあればよかったという繰り言とも思える。青年が年寄りのいうことを、いちいち聞いて、優等生のようにその通りにしていたら、人類はとっくに滅んでいたかもしれない。（二一六頁）

今風の若者に苦り切っている森繁さんが、己の恥多き青春を思い返す——。が、それで終わらないのが森繁節である。

人間とはいかなる生き物ぞ。

この問いが森繁の心の底流に絶えずある。

青年とは何ぞ。

老いとは何だ。

若者は老人に反発し、老人は己の恥多き過去を忘れて若い世代を嘆く。

歳月の生み出す、この相互理解の懸隔は、それ自体人間の宿命であって、それは寧ろ人類にとって幸いな事だったのではないのか。

「青年が年寄りのいうことを、いちいち聞いて、優等生のようにその通りにしていたら、人類はとっくに滅んでいたかもしれない」とは、小噺のオチには、いかにも大仰であろう。

が、これが森繁の掻き口説きなのだ。

小噺が、大演説となり、啖呵が人情噺の中に吸い込まれる。

芝居を打つ事に照れない。

「大仰さ」を恐れない。

私は思い出す、いつであったか『忠臣蔵』で森繁久彌演じる吉良上野介（きらこうずけのすけ）が、赤穂浪士に討たれる前に、何と『敦盛』の「人間五十年」を荘厳に舞って見事な老い桜として散ってゆく、掟破りな啖呵（たんか）の見事さを。

Ⅲ「人は死者のために生きる」

森繁さんの猥談は有名だった。

本巻でもごく僅かだがその片鱗は味わえる。

「命の終りに人はみな」（二一一頁）は、明治の元勲や吉田茂を語りながら、突如として――この突然の転調は、森繁さんのエッセーでは非常に意識的に駆使されていて、全く違う話がさらりとはじまる。巧みも衒いも手練手管もない。それこそ繋ぎのない蕎麦を見事に打つ手捌きは天衣無縫そのものなのだが――猥談に飛ぶ。

ここで話はいささか飛ぶが、私の好きな小咄に〝オナシスとジャクリーン〟というのがある。学もないのにエラソウな話許りしているので、たまには息ぬきがしてみたい。

世界の富豪といわれたオナシスの助平親父が、故ケネディ夫人のジャクリーンに懸想し、我がいとしの妻になってくれと懇願した。世間体もあろうか、夫人はいっかな好い返事をくれない。イキリ立った老オナシスは全財産をはたく気持でいい寄ったところ、

「マリア・カラスとはもう切れているんでしょうね」と美しい流し目でいう。……

（二一五頁）

この前口上で、読み手をわくわくさせて始まる猥談は、その語り口を含め、本文を直接味わっていただくに如くはない。

ところが、森繁の猥談には実際は、「奥の間」があったらしい。

先般、没後十年のシンポジウムで同席した宝田明(たからだあきら)氏によると、ロケ地でバスの中に何時間も待機しているような時、森繁さんはしばしば座興で一人語りを始める。最初は猥談で皆捧腹絶倒、ところが、即興が即興を重ねる内に、気づけば、聞いている女の子達が思わず皆泣かされてしまうような人情噺になるというのである。さすがにその鮮やかな転調の秘密は、文章では伝わらない。残念ながらそうした即興座談は、録音も残っていないようである。しかし今の猥談を読んだあとで、例えば向田邦子(むこうだくにこ)が飛行機事故で亡くなった時の「君散りぬ、君果てぬ」(一五四頁)を読めば、正に森繁独特の転調ぶりが、幾らか想像できるかもしれない。

「君散るや　桜のあとに　君散るや」の追悼句に始まり、五所平之助(ごしょへいのすけ)、越路吹雪(こしじふぶき)の訃を嘆いた森繁は、向田邦子の飛行機事故での非業の死を語る。

「五十一歳の花の生涯を凄絶な碧い空で閉じるとは、余りにも無残で言葉もない」。

向田が落命した南海に思いをはせながら、森繁はまさにかつてその地で「人は何のために生きるか」を語り合った思い出を語る。

ヌーメアで、在住の日本人たちと語り合ったことがある。このカレドニアにも古い日本人の墓地があるが、それにもまして南海の島々や海に今もいて敗残の姿をさらす軍艦や大砲を見、また見ることもかなわぬ海底にねむる何十万柱の遺骨に思いを馳せて、サザン・クロス（南十字星）の哀しいまでに光る夜明けまで語りあかした。そして、私たちの結論はようやく〝人は死者のために生きる〟ということだった。（一五四―一五五頁）

「人は死者のために生きる」――これほど今忘れ去られ、顧みられることのなくなった「思想」があるだろうか。

人は何のために生きるか。自分のやりたいことをやる、生きたいように生きるためだ。皆、当り前のようにそう考えている。

だが、自分のやりたい事とは、別の言い方をすれば自分の欲望を満たす事に他なるまい。「人権」と言い換えようと、「自己実現」と言い換えようと、「自分の使命」と言い換えようと、「社会貢献」と言い換えようと、その根底にあるのが、「人は自分のために生きる」のであれば、それは所詮人生の目的は欲望だということにしかならないのではないのか。欲望とは、それが崇高なものであろうと、性欲、食欲など下等な欲求だろうと、所詮、自分に欠乏しているものを貪ることに他ならぬ。

達成したものが大きかろうと小さかろうと、結局、そこでは鎖の輪は自分の周りで閉じてしまうのである。

森繁ほどその生涯を通じて、「自己実現」をしおおせた俳優、いや日本人は、近代を通じても稀であろう。ラジオアナウンサーから出発し、喜劇俳優へ。容姿端麗という訳ではない彼がやがて一派の主、そして日本の藝能界の顔になっていく。大俳優としての仕事を着実に続け、ついに大衆藝能人として文化勲章を初受章した。没後には、国民栄誉賞まで追贈される。国民栄誉賞は本来文化勲章の対象外の藝能人やスポーツ選手に贈られる賞だ。両賞を共に受賞した人物は森繁以外では、黒澤明と森光子だけである。

その彼が、南海の島で眠る何十万柱の大日本帝国兵の遺骨に思いを馳せて「人は死者のために生きる」と語る。

何という逆説だろう。

自分の為のみならず、生きている家族、仲間の為でさえもなく、「死者」の為に、既に死に、物言えぬ人達の思いに耳を傾ける為にこそ、今の生がある。何と後ろ向きな事か？

しかしその森繁が時代の先端を行き続け、自己実現と世俗的幸福と栄典の最高峰にいるのである。

なぜか？

――いや、当然ではないか、と私は答える。

死者のために生きるとは、過ぎ去り再び戻らぬ時と繋がりながら生きるという事だ。人間とは何か。記憶の総体に他なるまい。誰もが自分の生きてきた全過去を背負って今を生きている。

過去を引き受けない人間に未来があるはずがない。

同じように、自分一人のやりたい事、自分一人の人権しか引き受けない人間の人生が大きく花開くはずもない。

死者の声に耳を傾けるとは、人間の歴史の持続を背負う事だ。果たせなかった人の思いを未来に繋ぐ事だ。

その時、人は個人としての自分を越え、過去と未来を繋ぐ大きな翼になる。

再びこの短いエッセーは、向田の死に戻って終る。

君果てぬ　残夏の異土に　君果てぬ

ところが、こんな一文にほろりとさせられて油断していると、今度は途轍(とてつ)もない毒舌のシャワーに唖然とさせられるから、注意した方がいい。

女の力のおそろしさは、かねがね私も体験しているが、早い話、芝居の団体も近頃は九割が女性で、しかも中年と来ている。このいわゆる御連中の柄の悪さというか、エチケットのなさに、あきれはてて、とうとう劇場側も出し物を変えたくらいである。入込み芝居、つまり序幕ものだと、椅子についてあたりが暗くなると、早速弁当をひらきはじめる。二千人の包み紙をあける音は、騒音というか、八十ホーン以上だろう。芝居も何もやっておれぬものだ。(…)

最近の都内有名ホテルには、殆んどが高い会員制で、テニス、プールにサウナの設備があるそうだが、腹の肉の垂れ下った成金のオバハンが、鼻にもつまりそうな大きなダイヤをひけらかして蒸気でむされているそうな。いかにも恐しい地獄のさまと聞いたが、よくもまあ金もあるもの、いやはや日本も不思議な国と成りはてた。(二三二頁)

女の性の、生命力の豊饒としぶとさが転じてあくどさになるのは、いわば拝金主義の成れの果てであり、ウーマンリブの成れの果てであり、「死者のために生きる」人の道を忘れた成れの果てである。

が、そんな理屈はいいだろう。この開放的な毒舌は、「女の力の恐ろしさ」に充分釣り合っている。その筆勢が読者に感じてもらえればいいのである。

Ⅳ「あいた口がふさがらぬ」日本

軽妙なものもある。

寒さにめげず山茶花は冬の佳人のように、こぼれ散る。

若い連中をつれて古都京都の名刹を歩いた。日本の都で一番静かな都大路である。皆で苦吟しようか。全員は浮かぬ顔をした。

「山茶花を雀のこぼす日和かな」

「はあ、それはあなたの即興ですか?」

「これは有名な俳人の句です」

「あなたは——」

「天龍寺　山茶花こぼれ　鐘一つ——。どうかネ」

「ああ、そんなことですか……やってみましょう。ええ——天龍寺……」

「どうした？」
「天龍寺　山茶花散って　鐘三つ」
「情けないヨ、君たちは――」
「だって、鐘は三つでしたヨ」（三二八頁）

「情けないヨ、君たちは」――どこかで聞いたセリフではないか。そう、社長シリーズで森繁扮する社長が、小林桂樹、三木のり平、加東大介ら幹部社員にこぼす愚痴そのものだ。風流と笑いがゆったりと溶け合っている。

もう少し引用しよう。

よく金持ちに、それで儲かったらどうしますと聞くと、海外に工場を持ち云々という。それでも儲かったらどうしますと執拗に聞くと、懲りずに儲ける話しか返ってこない。一人ぐらい、「この金を一つ貴国の文化のためにお費い下さい」と、目のひらくような返事が出来ないものか。

往年、ドイツを訪ねた時に、この国にはもう大哲学者も詩人も音楽家も出ない、次に出てくるのは偉大なる商人だけだ、貴国もそうだろう、といわれたことがあるが、成程、その欧

米をもしのぐのが商人日本だ。（一九二―一九三頁）

平成年間にGDPで中国に抜かれ、経済成長の見込めぬ人口激減国に転落した今の日本でも、これは残念なほど代わり映えのしない光景である。

だが、差し当り私が読者の注意を促したいのは、ここでもやはり、それを語る森繁さんの語調の方である。

軽妙だ。思わずくすりと笑わせる。「懲りずに」の一語、「目を開くような」の一句が、効いているからである。

昨今はインターネット社会となり、ネット上で、著名人や物書き達まで加わっての、口汚い他者誹謗が蔓延している。

憤慨するもいい、意見の相異に憤るもいい、が、なぜこうまで汚い言葉を平然と使うのか。なぜ、他人の人格そのものを汚し、嘲笑しようとするのか。

森繁さんの「毒舌」と、昨今の「誹謗中傷」と何が違うのか。

どこで、卑しい誹謗中傷、眼をふさぎたくなるような言葉と、思わずニヤリとさせられる毒舌の「差」が生まれるのか。

本書は、テレビ関係者も多く手に取られるであろうから、あえて森繁さんのテレビ批判に、その「差」を見ておこうか。

最近のテレビがいかに酷くなったか。森繁さんは一くさり嘆いたあとで、

先日、ある民間テレビ局で、その愚劣番組の担当者にバッタリあったのを幸い、お茶を飲みながら話したが、驚くべし彼の言い分は、

「ボクらは、視聴率に追っかけ廻されているんですよ」

「だけど、公器だろう——テレビは？」

「コーキって何ですか」

「公のモノということだ」

「え？」

「日本の文化が少しでも向上するように頑張らなきゃ」

「そんなこと初めて聞きました」。

あいた口がふさがらぬ思いである。（三〇八—三〇九頁）

最後の一句を見てほしい。

「あいた口がふさがらぬ思いである。」

この感性の「差」が、毒舌と誹謗中傷の「差」なのである。

冷静に考えてみて、今の日本で、このテレビマンの言い分以外のことを、誰が口にしているだろう？

今の日本の政治家、経済人、官僚、新興成金、マスコミ、物書き……。これら日本のオピニオンをリードすると称する人達が、それぞれの世界における「視聴率」＝つまり数字的な達成以外の、何か少しでもましなことをどこかで言っているだろうか。

そしてまた、誰がそうした数字追求一辺倒の現状に対して、「あいた口がふさがらぬ」と驚いているだろう。

平成日本は、こうした「あいた口がふさがらぬ」老人の驚きを振り切って、何を得たのか。失われた十年、失われた二十年を転落しながら、実利も現実も失い続けてきただけだったではないか。

実利追求、現実主義が当然で、そんな姿勢に「あいた口がふさがらぬ」爺さんは、所詮昭和の遺物さ――そんな風に嘯きながら、平成のオピニオンリーダー達は、「昭和の遺物達」が築き上げたこの国の実利と現実を、どれだけ破壊してきた事だろう。

少子化の歯止めはかからず、今の出生率のままゆけば令和四十（二〇五八）年には人口は今より四千万人減の八千万人台、来世紀初頭には四千万人にまで激減する。出生率の低下が原因での人口減少は歯止めがかからない。治安、行政、経済、国民的活力において想像を絶する打撃を私達はこれから甘受する事になる。歴史上どんな民族も経験した事のない空前の危機の只中に、我が国は既にどっぷり浸かっているのである。

他方、中国の侵略野心、北朝鮮の日本向け核ミサイル配備、アメリカの総体的な国力低下などで安全保障環境は激変しているにもかかわらず、野党もマスコミも、やれモリカケだ、やれ桜を見る会だと与太話で狂騒し、国民は迫りくる危機に全く気づきもしない。

人口が激減し、安全保障は風前の灯、昭和の鉄鋼、銀行、自動車の後の基幹産業は全く育っていない。

「視聴率」追求世代の残した遺産は、結局、これだったのである。

結局のところ、「公器」の意味さえ分からない人間には、「数字」という現実を手に入れる事も所詮できない。そういう事であろう。

この今の日本のご時世で、「あいた口がふさがらぬ」という言葉さえ死語になっていることを、正に今や「死者」となっている森繁さんに向かって、私達は何と申し開きできようか。

Ⅴ　自己への厳しさ

終りに一言。

こうした警世の言が、尊大な嫌味にならずに冴え渡るのは、森繁さんの場合、自己を見る眼があくまで厳しいからだ。

そこを忘れては、森繁さんの世相批判を読み損なう。

森繁六十八歳の時に書かれた一文をご紹介して解説を閉じよう。

　最近、私は自分の出ているテレビを見ながら、ようやく客観的になれるというか、つまり傍観者として見る余裕だけはできるようになった。そうして見ていると、何といい加減な俳優だろうかと、砂を噛む思い許りがつきあげる。

　昨今、私をとりかこむ食生活は何とか標準並だし、さして金に困ることもない。また、これといって新しい仕事に対しての熱意も実はあるようでない。過去の引き出しをあけて、大概の用（仕事）を足すぐらいで、左程悔まれる思いもなくまあ平然としているような毎日だ。それがテレビの画面の私の仕事の中に見え見えなのである。これが、昨日今日あらためて驚いたことなのだ。（…）

薄氷を踏む思いなど全くなく、新しい海への船出にすら何の勇気もない、いうなればダラ幹に近い姿が、己れが己れの姿をブラウン管に見つけての感想だ。（一七八―一七九頁）

これは、六十八歳の大俳優の言として、苛烈（かれつ）の言葉だと言わねばならないだろう。この頃、森繁は映画『二百三高地』で伊藤博文（いとうひろぶみ）、テレビの大河ドラマ『関ヶ原』で徳川家康を演じている。翌年には迫真の吉田茂（よしだしげる）も演じる事になる。勿論、実際にそこにみられる演技は、緊張感ある円熟ぶり、「ダラ幹」でもなければ、怠惰とも無縁だ。

そうした自分に「円熟」を見出して満足するのではなく、寧ろ、「ダラ幹」を見出し、自分に焦燥する六十八歳の大家の「若さ」と「勁さ」は並のものではない。

自分を観ながら、自分に苦り切っている森繁さんの顔……。その同じ顔が近頃の金満婆さん連中に、テレビマンに、若者達に、そして金満日本の世相全てに向かって、「情けないよ、君たちは」と呟いているのである。

さあ、長広舌はもう良いだろう。

この解説をもし先に読み始められた読者であれば、私が拾い損ねた無数の愉しさ、無数の人情、無数の洞察、そして今日に通ずる日本の病理――死者を疎（おろそ）かにし、公を疎かにしてきたツケへの鮮やかな発言を、そこここに見つけるのは難しいことではない。
解説などもう忘れ、存分に、森繁の掻き口説きに聞き惚れて頂ければ幸いだ。

安倍晋三さんの事

ここでは安倍さんと書く事にする。

私は、氏と個人的に親しいわけではなく、日頃、安倍さんとお呼びしたことはない。一言論人としての微志（びし）から、国の事に関わってきた安倍政権時代、氏のことは「総理」と呼ぶのが自然な習わしであった。公的な立場そのものとして氏を遇するのは当然であって、それは大統領をMr. Presidentと呼び、天皇を陛下とお呼びするのと同じ事である。

しかし、総理退任を機に、日頃論壇誌で論じてきた政治家安倍晋三（あべしんぞう）とは別の一面を書いてくれと乞われたので、ここではあえて慣れないながら、安倍さんと呼ぶことにしたい。

私の知る安倍さんは、一言で評すれば、真っ当な人、真っ当さがそのまま自然な魅力となっている人である。これは疑いようのない強い印象であって、私は日頃、政治家に限らず、あらゆる分野の方々との面会に寧日（ねいじつ）ない有様だが、安倍さんほど自然で真っ当な人を、殆（ほとん）ど見た事がない。

決して易しいことではない。東洋の伝統的な人間学の言葉を用いれば、安倍さんのありようは中庸という事になろうが、『中庸』には、孔子の言葉として、こうある。

天下国家も均しくすべきなり。爵禄も辞すべきなり。白刃も踏むべきなり。中庸は能くすべからざるなり。

国を統治する事ができても、潔癖に爵禄を辞退できても、白刃を踏む並外れた勇気があっても、中庸の道を実践する事は難しいというのである。

卓抜した人間にとって、何らかの卓越性を実行するのは困難ではない。だが、卓越した人間にとっても、中庸をゆくのは困難である。卓越は気力や能力の著しい充溢を伴う。世俗の堕落、低調な人々の中にあれば、得てして当りは厳しくなる。孔子でさえ、耳順に達したのは六十歳であった。

中庸は、両極端を足して二で割るという意味ではない。それは凡庸というものであって、穏便な人柄、当たり障りのない人柄というだけなら、別段珍しい事もないだろう。

安倍さんはそのような凡庸とは程遠く、妥協的な人でもない。凛冽の気が漲っていて、なおかつ中庸なのである。

臭みが無いと言い換えてもいいかもしれない。政治家には独特の政治家臭が往々付き纏う。多年権力の味を知る者でありながら、選挙や支持率を気にして、常に人々の機嫌を取り結ばなければならぬという、いわば権勢と作為された腰の低さの合体した、ある種の臭みである。

　何も政治家には限らない。経営者には経営者の臭みがあり、大物財界人には大物財界人の、出版人、学者、物書きには、筆で口を糊する世界特有の、身に纏う職業臭というものはある。メディア人やクリエイター、先端的な経営者らともなれば、臭みに開き直ってそのまま名刺代わりにしている向きもありそうである。

　安倍さんにはそれがない。

　が、無色透明という訳でもない。

　まるごと一個の人間と会っているという一種の手応え感が、臭みという回路を通らずに真直ぐこちらに来る――そういう印象である。それが面白いところで、安倍さんは、世にいわゆる人間臭い人とは対極にある。親分肌、人懐こさ、面倒見のよさ――そうした意味での人間味は、この人には見当たらない。

　青年の持つ永遠の真率さと陽気さ、そして含羞、いわば青年が、青臭さを抜け出て、その純粋さを保ちながら成熟をしていった人――そういう印象が最初のお会いした日から今日まで、私の知る安倍さんだ。

　むろん、総理を長く務められた事で、その威は日増しに加わり、「威あって猛から」ぬ風格が、自ずから涵養されてきたのは、私が言うまでもないだろう。

しかし実際にお会いし、話を交わす安倍さんは、総理大臣の地位にあろうとなかろうと、またその地位を何年重ねようと、それによる人間性の変質を感じさせた事はない。

政権に復帰する前、安倍さんと大学生の集いをいくつか企画した事がある。例えば、六本木のクラブに集まった数百人の大学生を前に安倍さんがスピーチをする、或いは学生のシンポジウムに安倍さんが参加をするというようなものから、安倍さんと一緒に高尾山に登ろうという登山イヴェントまで用意した事も、今となっては昔の思い出となった。

印象深かったのは議論する姿勢である。学生諸君と居酒屋での集いを持った時のことである。二十人ほどの幹事学生らと、大衆居酒屋で安酒を酌み交わしながら、議論する。その姿は、側近政治家や閣僚達と議論する時の安倍さんとまるで変らない。若者に教え諭すということもなければ、逆に慇懃(いんぎん)にご意見拝聴という訳でもない。愛想を降りまくこともないが、無愛想で取り付く島がないという訳でもない。

政策談義もあれば、政局論もある。稚拙な議論もあれば、鋭い質問も出る。安倍さんは「なるほどそれはその通りだね」「そういうことは考えなかったな」と同意をするかと思えば、「それは違うね」と、明確に否定して、議論を組み立て始める。そうなれば安倍さんは決して聞き手を退屈させない座談の名手となる。それでいて相手に遠慮させない。遠慮させないという配慮さえ感じられない。相手は誰であれ、同じ空気の中で、対等に議論しているという安心感を持つ。

総理になられた後、学生とは丁度逆の立場の方々――保守系を代表する学者、思想家らを公邸に招き、会食を持ったことがあった。小堀桂一郎氏、日下公人氏、故人となられた渡部昇一氏、西部邁氏らを招き、私が末席に連なった。日下先生は奔放な方で、事務所からの相談で、日頃通われる囲碁クラブに私が迎えに出向き、ホテルから公邸にお連れしたのを覚えている。先生方は皆、安倍さんと長年の厚誼があるとは言え、現職総理との会食となれば、些か緊張の態だったが、それぞれに持論を展開され、酒の進みにつれて、やがて談論風発となった。西部さんは――その弟子筋は猶更、一貫した安倍否定の論陣を張る方々が多いが――安倍さんの経済政策や、第二次政権での保守色の封印に批判的で、それをもどかし気に伝えようとされていた。が、他の方々は、みな、西部さんより高齢の方ばかりである。一面含羞と気遣いの人でもあった西部さんは遠慮して、なかなか切り出せない。会話がようやく途切れ、そこで話し始めようとすると、時を同じくしてどなたかが会話を切り出す。そんな事が繰り返され、その都度、西部さんが舌打ちされる。そして、ようやく聞き上手の安倍さんとの会話が噛み合い出した時の嬉しそうな満面の笑顔。あの表情は忘れられない。

＊

私は昔から安倍さんと親交があったわけではない。

民主党の菅直人(かんなおと)政権下で、東日本大震災が発生し、それが政権による人災と化してゆく様を切歯扼腕(せっしやくわん)する思いで見ながら、指を咥えて国の亡びを見過ごすわけにはゆかぬ、政権批判など何の意味もない、本当に国を救い得る政権を作り出すしかないではないか、政策メニューを考案しても、言論活動をしても仕方がない、誰を総理として旗揚げするかだけだ、それは誰なのか——この問いを三月の震災発生以来、同志の諸氏と激論し続けた結論は、七月に出た。

安倍さんしかない、国民運動の声を上げよう——。

無名無力の私が声を上げてどうなるか、私には何の見当もつかなかった。安倍さんを個人的に存じ上げていたわけでもない。それどころか、その頃、私はただ一人の国会議員も知らなかった。政治運動に参じたこともない。十年来、世間との付き合いは殆どなく、乏しい嚢中(のうちゅう)を僅かに養いながら、後になって『小林秀雄の後の二十一章』と『フルトヴェングラーとカラヤン』に収めることになる、時流にそぐわぬ批評を、一人で書き続けていただけである。

その私が、人の縁の重なりの中で、震災後の日本を民主党政権から救おうと、突如立った。我ながら全くべらぼうな話で、今になって、到底説明のつかない成行きでもあり、心境の変化でもあった。

が、そうなれば――君子では全くないのに――私は豹変する。私は、安倍さんに再び政権の座についてもらうには、どうすべきか、二十頁程の戦略立案を書き下ろし、projectA と名付けた。別段の仔細はない。が、これが八月には下村博文(しもむらはくぶん)氏の手にわたり、氏と会う事になった。私が初めて会った国会議員は下村氏だった事になる。下村氏は、既に projectA を安倍さんにも見せ、安倍さんも強い関心を持っていると言った。

不思議なことに、全く同じ七月、政治評論家の故三宅久之(みやけひさゆき)氏、金美齢(きんびれい)氏などが安倍晋三再生プロジェクトという秘密会合を立ち上げ、安倍氏を応援する言論界重鎮と下村氏、衛藤晟一(えとうせいいち)氏らで安倍氏を囲む会合を持ち始めていた事を後で知った。私の方は無力な野武士集団だが、十月にはそちらの会合に呼ばれ、実際運動は私が担う事になる。以来、私は既に体調を崩して行動の儘(まま)ならなかった三宅氏と安倍氏を繋ぎつつ、運動の連携の輪を広げ始めた。

その中で、最も難儀したのは、安倍さんが第一次政権を突如辞任した、いわゆる「辞め方問題」である。政権放り出し、お腹を壊して辞めちゃった、お坊ちゃん……。当時、保守界で安倍再登板を持ち出すと、異口同音に戻ってくるのはその科白だった。総裁選に出る出ない以前、総理として国民の信を得られるか否か以前の話だったのである。保守論壇、保守系団体の間で広がる安倍さんへの不信を払拭しない限り、スタートラインに立てない、私が動いての実感はそれであった。

保守の諸氏を説得する為には、第一次安倍政権が如何に画期的な政治実績を短時日の内に上げたか、それにもかかわらず、なぜそれが挫折したのかを明らかにすることが必要だと考えざるを得なかった。また氏の持病である潰瘍性大腸炎の深刻さについても、まるで理解されていない。その事にも触れねばならぬと考えた。ここを突破しない限り安倍さんはスタートラインにすら立てない。それがあの頃の実態だったのである。

執筆を始めたのは安倍さんと出会った半年後、震災の翌年の四月からだ。本にするつもりはなかった。保守界に配布する小冊子にするつもりで書き始めたのである。

ところが新聞を下敷きに執筆が進むにつれ、安倍叩きの理不尽さ、安倍さんの戦いの苛烈さに私自身が引き込まれ、分量も嵩んでゆく。仕上がったのは七月中旬、当時、安倍さんの再登板の必要を痛感されていた幻冬舎の見城 徹社長が、この原稿に着目し、単行本での刊行が急遽決まった。

そうなれば九月の総裁選に間に合わせるしかない。

事は動き出した。

見城さんにより『約束の日　安倍晋三試論』と命名された本書は、業界常識を超えた猛烈なスピードで仕上がり、八月三十日の刊行となった。

私を安倍さんの走狗、腰巾着と揶揄する人達は、『約束の日』を露骨な安倍よいしょ本だと嘲笑する。

冗談は休み休み言うがよい。

この本を執筆した時、安倍さんは、いまだ失意と保守界隈の不信の中にいた。総裁選の出馬自体が難しいとの声が、陣営内でも大勢であった。権力者どころか、メディアで動向が報じられる事も稀だった。はじめ、私は、この本を別の大手出版社に持ち込んだが、「なぜ今更安倍晋三なんだ」と一笑に付された、そんな状況だったのである。私もまた、後に『小林秀雄の後の二十一章』に纏める事になる時流から孤絶した文藝評論の制作に孜々として明け暮れていた。言論界に居場所を求めた事もない。

あの頃の安倍さんは、お先棒を担いで私の有利になる政治家でもなければ、私もまた人を利用して世に出ようと考えるような人間ではなかった。私は国の為に書く必要があると考えたから書いた、文字通りそれだけの事であったのだ。

さて、総裁選では、周知のように安倍さんが逆転に次ぐ逆転劇を演じて勝利したが、その逐一は既に『国家の命運』に記したので省こう。

総理になられてからは、当然ながら、それまでのように頻繁にお会いする事はなくなった。

私は、安倍さんと非常に近いように書かれる事があるが、官邸官僚や側近議員、また安倍さんと近い記者の皆さんのような意味で近しいわけではない。

友人としての付合いも全くない。

私が安倍政権を樹立するのに、微力ながら持てる力の全てを注いだのは事実であり、安倍政治が大局として何を目指しているかについて、私なりの考えを発表し、政権が不当な批判にさらされた時には擁護してきた。だが、個々の政策については――対ロ政策、対中政策、人口政策、労働政策、靖国参拝など――時に厳しい批判や疑念を加えてもいる。

私は、安倍さんに個人的なお願いをした事はないが、一度だけ、拙著『小林秀雄の後の二十一章』の出版記念パーティーの発起人をお願いにあがったことがある。安倍さんは発起人を引き受けてくださったのみならず、パーティーへの出席を自ら申し出てくださった。現職総理の出席とは、思いも掛けぬ事であった。このパーティーは、表面上、華やかで世俗的な体裁をとりながら、私の目論見は、むしろ、文藝、思想を、現代日本の出版界が全く大切にしていない、その結果、書き言葉の世界がどれほどの荒廃にさらされたかを、華やかさにつられて集まってきた皆さん――失礼！――に告発する事にあった。発起人には、安倍さん以外、全く反時代的な大著の出版を引き受けてくださった幻冬舎の見城徹社長、小堀桂一郎氏、桶谷秀昭（おけたにひであき）氏、金美齢氏、長谷川三千子氏が名前を連ねてくださった。

会場に安倍さんが姿を見せると考えた出席者はさすがに少なく、安倍さんの到着を伝えるアナウンスに会場はどよめいた。この会を懸命に準備したのは父であった。半年後に父は倉皇（そうこう）として世を去る。これだけは親孝行になったと今でも思っている。

しかし、その後、私と安倍さんとの関係は表向き、大きく変る。

総理の激務が重なる一方で、私自身が言論人として、幾多の受難を重ね、おそらく、官邸が、安倍さんと私との距離を置くべきだと判断したのだろうと思う。私が立ち上げた任意団体「放送法遵守を求める視聴者の会」が内部から虚偽の金銭疑惑を私に事寄せ、保守界隈から掌を返したように冷遇され始めたのをきっかけに、『徹底検証　森友加計事件――朝日新聞による戦後最大級の報道犯罪』が朝日新聞社から五千万円の名誉棄損訴訟を起こされ、LGBTイデオロギーを批判した拙論が原因で『新潮45』が廃刊に追い込まれ、ジャーナリスト山口敬之（やまぐちのりゆき）氏の性冤罪を晴らす実証論文によって、私は大手保守業界からも敬遠されるに至った。私自身の損害にしかならぬと知りながら、皆が口を噤（つぐ）む同調社会に異を唱え、自ら火だるまになる事が重なれば、公的には物騒な人間と見做されても仕方あるまい。

だが、そうした中でも、安倍さんの私への態度には、変化はまるでなかった。私も国家に必要と信じられる進言は続けた。森友・加計での不当な追及以後の極限的な心身の過労の中で、安倍さんが耳を傾ける姿勢を失った事は一度もなかった。顧みて、到底真似のできぬ事であろうと思う。

だいぶ以前、一度だけ、安倍さんと半ば口論になったことがあった。

私は政局や人事とは距離を保ち、政治家と政局的な付き合いをする事も余りない。ところが、成行きで、どうしても人事の上で安倍さんに申し上げなければならない事が出来し、実際に談判に及んだことがあった。安倍さんの、ある人物への誤解がどうにも解けなかったのである。長年にわたり、いくつもの筋から悪意ある噂話と訛伝が重なり、安倍さんのように、そうした噂への幾重の免疫のある人さえ、誤解に呪縛されていた。

議論は錯綜し、珍しい程頑なに、安倍さんは、一々に反論を続ける。取り付く島のない想いに駆られたところで、安倍さんは一言、「何で小川さんと俺がこんなことで、こんな言い合いをしなきゃいけないいんだ」。

我に返った私は、目の前にいる人物が現職の総理大臣であること、全く分際を超えた進言になっていたことに気付き、引き下がった。安倍さんはもう覚えておられないだろうが、私にとってこれは、安倍さんという人に関する印象深い思い出となっている。

＊

今年（令和二年）八月二十八日、電撃的な総理大臣による辞意表明の記者会見の夜、安倍さんから電話を頂戴した。

電話に出るなり、「安倍ですが……。このような結果になってしまって大変申し訳ありませんでした」との第一声である。

この七年八ヶ月の安倍さんの苦闘が、我がことのように蘇る。

その達成の大きさ。逆に、政権後半の森友・加計事件、桜を見る会などの、疑惑の捏造、誹謗中傷の嵐、その中での消耗、そして、最近の新型コロナ禍への日々の対応の、夜も眠られぬような苦慮を直接知る私としては、突き上げる無数の思いを呑み込みながら、「とんでもありません。国民の一人として心から感謝申し上げています」と申し上げるのが精一杯であった。

跋に代えて

『日本書紀』編纂千三百年

今年は、天武天皇の御代に着手された歴史書編纂事業が元正天皇の養老四年（七二〇）に実を結び、『日本書紀』が舎人親王らによって完成されてより千三百年の節目の年である。

国学史上最大の泰斗である本居宣長が、正式な国史として重んじられていた『日本書紀』を、漢文＝漢心によって日本の古代を歪めたものとして退け、二義的な文書と見做されてきた『古事記』こそ神の御文だと宣揚したことは良く知られている。以後、この宣長史観は人口に膾炙し、『日本書紀』を正史として重視する伝統は大きく損なわれて今日に至っている。

これは契沖、賀茂真淵から正岡子規、斎藤茂吉に至る、『古今和歌集』を退け、『萬葉集』を国民歌集と見做す見解と軌を一にするものだろう。江戸に始まった近代ナショナリズムの精神運動としては理解できる。近代的な思惟は「根源」へと遡行するものだからである。

だが、「日本」の成立と私達の国柄の成熟は、実際には専ら『古事記』『萬葉』でなく『日本書紀』『古今和歌集』の伝えによっている。

日本美の形成における『古今集』と共に、日本のconstitutionの形成における『日本書紀』の重要性は、宣長の漢心批判によっても、些かも揺らぐものではない。『古事記』の主たる記述が神話で終わり、歴代天皇、特に雄略以後が簡略を極めているのに対し、『日本書紀』は歴代天皇についての詳細を極めた論述の豊かさと、神話と歴史の連続性を緻密に示した世界とが、類を見ない日本独自の歴史感覚の拠り所となっている。

『古事記』は、漢字を表音文字として利用することで、古代日本語の生きた姿を留めようとした。その『古事記』の価値は無論高い。「言葉」の外側に「意」だけが独立してある訳がない。「言葉」の息吹そのものを保存している『古事記』にこそ、日本人本来の思考、本来の感受性を丸ごと含む日本人そのものの「姿」があるのだという宣長の言語観は、ヨーロッパで二十世紀を通じて成熟した新しい言語哲学を先取りしてもいる。

他方『日本書紀』は、編纂を命ぜられた天武天皇から奈良朝時代に至る、日本の国家的立場を示している。当時慣用されていた漢文で書かれ、東アジアにおいて、「日本」という国号による国家の歴史を闡明した国際文書であり、また、皇位の詳細な実録として、元明帝に至る天皇家の正統性を宣言した。いわば内外への日本国および天皇の正統性の宣言として、日本史上で最も重要な政治文書と言える。

何よりも誇らしいのは、それに相応しい記述内容の威容だ。

記述は極力客観的な史料批判を経ていると想像される。皇室のみならず各豪族に伝わるあらゆる資料を収集し、支那の史書とも比較吟味の手法が取られている。神話において顕著だが、様々な異説を「一書曰、……また一書曰」と重ねて多面的に紹介をしていることは、良く知られているだろう。

坂本太郎(さかもとたろう)博士が主となり、『書紀』には漢籍から取られた表現が多用されていることが立証されている。だが、中身は紛れもない日本人の歴史である。漢籍の影響や漢文特有の舞文はあるが、歴代天皇の示す多用な事績と人間性は、到底創作と考えるわけにはゆかない。現在まで、古代天皇の御年齢を除き、『日本書紀』の記述に反する考古学的事実はない。また、天皇像の多様な姿は、役所の日録風になってゆく『続日本紀』以降の史書に比べ、雄大な物語性、人間描写の興趣(きょうしゅ)尽きない面白さを示している。

日本の国柄も明確に示されている。「非戦」「寛容」「仁徳」の重視である。血と復讐に彩られた『史記』とも『旧約聖書』とも全く違う民族の姿が、ここにはある。

その観点からとりわけ注目すべきは、聖徳太子の事績、特に『十七条憲法』の全文が採録されていることであろう。『十七条憲法』は『日本書紀』によってのみ、伝わっているのである。

そして、この『十七条憲法』こそは、「和を以て尊しとなす」との第一条に始まり、国の役人達への心得の体裁を取りつつ、実際には日本の国民性の表現であり、また統治の原則を示す文書と言える。聖徳太子の長子だった山背大兄王（やましろのおおえのおう）は、蘇我氏との対立が深まった挙句、斑鳩（いかるが）において蘇我軍に襲われたが、反撃を勧める臣下達に対し、自分が反撃をすれば勝機はあるだろうが、民衆が戦禍に苦しむとして、戦を放棄し、自刃した。これは、皇室の国民を思う慈愛、自己放棄の慈愛の最も生々しい発露であって、支那皇帝をはじめとする、世界の王家と著しく違う道徳基準を示すものだ。

　要するに、『古事記』が古人の言葉そのものを保存したのに対し、『書紀』では、天智・天武時代における constitution の確定が図られているのである。

　今、リベラルメディアの暴力化、デモクラシーの衆愚化が進み、他方中国による日本の領土領海侵略と政治・情報工作が進む中、『日本書紀』が確立した constitution は、私達の帰るべき原点を示している。その意味でも、『日本書紀』は、明日の存亡の懸かっている臨界点を生きる私達にとって、今を問う最も大切な必読書なのである。原文に挑戦して躓（つまず）くより、講談社学術文庫所収の現代語全訳を、まずは理屈抜きに通読してもらえれば幸いである。

謝辞

この小さな書物は、日頃お世話になつてきた青林堂の渡辺レイ子さんからご提案いただいたものである。今時、このやうな批評、随筆の類を一冊に纏めてくれる出版元は稀であつて、その意味で、お申し出下さつた渡辺さんにまづ御礼申し上げねばならない。

本来、この本に収められた諸篇は、正仮名遣ひ、正漢字で綴られたものである。正漢字は現代の読者にあまりに馴染みがないので用ゐ難いにせよ、仮名遣ひはこの謝辞でのみ、かうして用ゐてゐる。本書全体において正統表記を守りたかつたのが本心である。

渡辺さんは私の思ひを真摯に受け止めてくれたが、現今の出版事情では書物全編さうする事は難しく、度々の協議を重ねた上で、今回は断念せざるを得なかつた。その経緯の全てを含め、渡辺さんと青林堂には心からの感謝を捧げたい。

原稿は既発表のものと、手元の講演草稿、昔書いたブログの原稿などから、緩やかな統一を感じさせるものを取捨した上、手を入れて成稿とした。書物としての纏め方や本書の書名、体裁、講演草稿やブログ記事などの拾ひ上げ、校正に至るまで、畏友で詩人の石村利勝君の格別の世話になつた。石村君がゐなければ、そもそも本にする方向性も定まらなかつたであらう。

冒頭に拙詠を掲げたが、これは、毎月の私の勉強会「令和日本研究会」で、詠歌指導を続けて下さつてゐる小林隆氏の薫陶の賜物である。毎月、季節の題を定めた上、歴代天皇の御製を始めとする名歌を丁寧に註釈するテクストを作成して会に臨まれ、萬葉調、国学者調の調べへと我々を誘ふ、充実した小林さんの指導がなければ、歌を詠む習慣が身に付く事は到底なかつた。

また、在野陽明学の第一人者である林田明大氏には、「江戸思想と明治国家」中の藤樹学の系譜について御助言をいただいた上、非公開文書である二見直養による『藤樹学術之詞書』の貴重な原文をお教へいただいた。

更には、書評の機会をいただいた長谷川三千子氏、森繁健氏、文藝春秋の西泰志氏を始め、講演にお呼び下さつた諸団体の皆様など、学恩の幾つもの重なりがなければ、本書は編みやうもなかつたであらう。

私の微志は本文に充分開陳したから、ここに繰り返すまでもない。本書に繰り返し現れては消えるモチーフは、「日本」のかつてない消滅の危機の今日を、必敗の覚悟を生き抜く事で、引き受けようとする事に外ならない。三島由紀夫自裁を、私は、元々、強く己に引き寄せて考へる事はなかつたが、私の日本、私の知るあの日本人をどこにも彼処にも見出す事が難しく、日々陰惨の度を増す世相・言辞の溢れに身を切られる事の重なる中で、私の存念は、孤独と無念の禱りへと駆り立てられるかのやうだ。

縁と学びの妙が紡ぎ出したささやかな述志の言の葉――そのやうな本書を手に取つて下さつた読者の皆様に、最後に心からの謝辞を申し上げておきたい。

令和二年十一月二十五日　三島由紀夫自裁五十年のけふ、市ヶ谷自宅にて

小川榮太郎

初出一覧

国の憂い、国の祈り　『歴史通』（『ＷｉＬＬ』二〇一九年一一月号別冊）ワック

保田與重郎試論　『Ｖｏｉｃｅ』二〇一六年一〇月号　ＰＨＰ研究所

長谷川三千子『からごころ』解説　『からごころ』二〇一四年　中央公論新社

山本七平『小林秀雄の流儀』解説　『小林秀雄の流儀』二〇一五年　文藝春秋

森繁久彌コレクション第三巻『世相』解説　『森繁久彌著作集三巻』二〇二〇年　藤原書店

日本書紀千三百年に思う　『日本の息吹』二〇二〇年　日本会議

小川榮太郎（おがわ　えいたろう）

文藝評論家、一般社団法人日本平和学研究所理事長。昭和42（1967）年生まれ。大阪大学文学部卒業、埼玉大学大学院修了。フジサンケイグループ主催第十八回正論新風賞、アパ財団主催第一回日本再興大賞特別賞、咢堂ブックオブザイヤー2019総合部門大賞受賞。専門は近代日本文學、十九世紀ドイツ音楽。著書に『約束の日――安倍晋三試論』（幻冬舎）、『小林秀雄の後の二十一章』（幻冬舎）、『天皇の平和　九条の平和――安倍時代の論点』（産経新聞出版）、『徹底検証「森友・加計事件」――朝日新聞による戦後最大級の報道犯罪』（飛鳥新社）、『一気に読める戦争の昭和史』（扶桑社）、『平成記』（青林堂）、『フルトヴェングラーとカラヤン――クラシック音楽に未来はあるのか』（啓文社書房）、『新型コロナ』（上久保靖彦京都大学特定教授との対談本、WAC BUNKO 327）ほか多数。

國憂ヘテ已マズ

令和２年 11 月 25 日　初版発行

著　者　小川榮太郎
発行人　蟹江幹彦
発行所　株式会社　青林堂
〒 150-0002　東京都渋谷区渋谷 3-7-6
電話　03-5468-7769
装　幀　TSTJ inc.
印刷所　中央精版印刷株式会社

Printed in Japan

ISBN 978-4-7926-0689-3